新編 補訂版

図書館員への招待

塩見　昇・木下みゆき 編著
SHIOMI Noboru　　　KINOSHITA Miyuki

教育史料出版会

はじめに
― 全面改訂の新版刊行にあたって ―

　私が司書になった 1960 年当時、大学卒業後の進路について図書館だと言うと、「えっ、なんで図書館なの？」と怪訝な顔をされることがよくありました。「図書館なんかに」といったニュアンスに、当時の一般の人たちの図書館なり図書館員へのイメージがうかがえます。爾来半世紀以上がたち、図書館に寄せる社会の目にはよほど変化があることは確かですが、そこで働く図書館員（司書）についての認識や位置づけにはなお厳しいものが少なくありません。

　市場原理や規制緩和の考え方によった行財政の構造改革路線によって、公立図書館や大学図書館では 1990 年代の末以降、正規の専任職員の数が目立って減少し、その分を非正規や臨時職員、外部からの派遣職員で補てんするという傾向が顕著になり、マスコミがワーキングプアの問題を取り上げるさいの典型職種に司書が取り上げることがよくあります。近年その重要性が注目され、整備に変化の見られる学校図書館でも、ようやく専任職員の配置が進みつつありますが、残念ながらその大半は非常勤の職員です。

　国の「働き方改革」が喧伝されていますが、その実態は、この貧しい現況を常態化するもの以上ではないという批判や危惧が否めません。

　この状態を大きく転換させていくことが、国民が寄せる図書館への期待に応え、図書館事業の発展を図る上で最も重要な課題となっています。そのためにも、厳しい現実はありつつも、図書館と図書館職のもつ意義と可能性について、豊かなイメージを培っていく積み重ねが大事だと思います。

　本書のタイトルに掲げる「図書館員」は、主要には公共図書館の職員（司書）を想定して述べていますが、大学図書館や学校図書館の職員についても基本的なところに違いはない、という視点で編んでいます。もちろん主たる利用対象が限られており、図書館活動の内容や方法、職員としての採用の仕方や配置状況に違いがあることは事実です。その逐一については、それぞれの該当箇所で

取り上げることにします。

　本書の前身である『図書館員への招待』（初版1996年）は、こうした図書館員をめぐる状況が劣化の気配を示す時期に、図書館職をめざす若い人たちを念頭に、この仕事に向けられる社会の期待と現況を紹介し、司書への道を案内することを意図して刊行したものでした。同時に、それは司書になるためのノウハウを示すというだけでなく、図書館員をめぐる重要な課題を担っていただく若い力を図書館界に迎えたい、という思いから、図書館及び図書館員についての現況を的確に認識していただくことを願ってのものでした。

　幸い多くの人たちの支持を得て、20年ほどの間に折々の変化を内容に反映させつつ、4版までの改訂を重ねることができました。ネット上の投稿で、「司書をめざすなら、まずこの本がイチオシです」といった評価を嬉しく拝見したりもしてきました。

　しかし最終改訂から10年近く経過し、司書をめぐる状況も大きく変化しており、私自身、すでに大学や講習で司書養成教育の場から卒業する年齢を迎え、新たな視点からの再構成を図る必要を感じたこと、より今日的な状況をふまえた内容の精査、手直しの必要を感じ、全面的な改訂（というよりもむしろ新著）を考えることにしました。

　そのさい、これまでの『招待』の基調は基本的に継承しつつ、司書養成に取り組んでいる知己の大学教員である木下みゆきとの共編とし、これまでいろいろな立場から寄稿していただくことでご協力を得てきた部分についても全面的に改稿し、本書を組み立てることにしました。しかしタイトルはあえて変更せず、『図書館員への招待』を続けることにしています。旧著に変わらぬご支持、お力添えを得たいと念願いたします。

　以下に本書の構成についての概要を紹介することにします。
まず第I章では、「図書館と図書館員への期待」ということで、はじめに図書館および図書館職とはどういうものか、その魅力がどこにあるか、日本の図書館（本書では主として公立図書館を対象として取り上げています）の当面する状況と課題などを編者が略述し、本書全体への導入としています。

　そのうえで、2016年に新設され、「人づくりの拠点、まちづくりの基礎」と

して公設公営の手法ですぐれた図書館事業を展開し、全国的にも注目を集める岡山県瀬戸内市の武久市長さん、県立図書館のあり方を先導する鳥取県立図書館の活動をリードする小林課長さん、九州の小郡市において市役所の各部署でさまざまな仕事にも従事した経験をもち、市立図書館づくりの初期から司書として、図書館長として活動し、現在は司書養成教育に従事されている永利さん、さらに市民の立場で地域の図書館と学校図書館づくりに長年かかわってこられた静岡市の佐藤さんから、それぞれの立場からの図書館と図書館員への期待を綴っていただきました。これらのメッセージを通して、めざそうとする図書館職への確かな目を培っていただきたいと思います。

　第Ⅱ章は、図書館員の仕事がどんなものか、図書館現場の状況について、現場の活動に実績のある5人の現職司書の方に紹介をお願いしました。ここには公立図書館だけでなく大学図書館、学校図書館で活躍されている方からも寄稿していただきました。図書館司書としての共通な部分と、各館種ごとの独自な働きもあることを読みとってください。

　なお、五つ目の高木さんの論稿についておことわりを付記します。この部分は当初、他の4編と同様に書きおろしを予定していたのですが、編集段階のよんどころない事情で急遽代わりのものを入れざるを得なくなり、既存の高木さんの論稿の転載を無理にお願いしました。高木さんは旧職員であり、作成時から少し時間もたっていますが、内容は長年にわたる実践とキャリアに立った学校教育の一端を担う司書のさまざまな仕事が一日の時系列で丁寧に記録され、この章のねらいにぴったりの資料となっています。

　この章の冒頭には、現在の図書館員をめぐる厳しい状況をも含めて図書館員の現状と課題、図書館労働、専門性にかかわる論議や政策の動向など、司書の現況と取り巻く環境の変化について編者が全般的な概況を整理しています。

　実際に図書館職をめざすとなると、まずは司書の資格を取得し、採用試験にチャレンジしなければなりません。第Ⅲ章、Ⅳ章はそのための解説です。Ⅲ章では「司書」という資格のもつ意味とその取得方法、取得に必要な学習の形態と履修すべき科目の内容、必要単位数などを紹介しました。Ⅳ章には司書の採用試験の概要を各館種ごとに紹介しています。法律で定められている「司書」は、直接には公共図書館を想定したものであり、他の館種の場合にはそれを準用し

ているのが大方の現況です（国立国会図書館を除いて）。そのため採用試験の仕組みと現況については公共（とくに公立）図書館の場合を主とする記述にし、その他の館種については簡略な紹介にとどめています。採用試験の状況は社会状況にも絡んで変化も少なくないところですが、できる限り正確で新しい情報が提供できるよう、編者として努めたつもりです。版や刷りを更新する機会があれば、その機会を有効に活かしたいと思います。

　第Ⅴ章には、大変な努力と苦労のうえに、首尾よく願いをはたして、いま図書館現場で司書として活躍している、比較的近い時期の入職者である5人の先輩から、その経験と励ましのメッセージ、助言を寄せていただきました。大学・学校図書館の現場からも体験を披露してもらっています。それぞれに「これから」の人たちへの有益で心強い示唆を与えていただけるものと思います。

　人の学びや成長を主として資料提供によって支援する図書館員は、当然に自らも不断に学び、成長する主体、生涯学習者であることが欠かせません。そこで第Ⅵ章では、司書自身の学習・研鑽のガイドとして、現職研修の機会と場、学生時代からも入会できる主要な研究団体の紹介などを収めています。司書への願いをはたされたうえで、その後の研鑽の参考にしてください。

　以上の本文に対して、参考資料として巻末に、司書の採用試験における専門試験の出題例をいくらか紹介しています。近年ではこの種の情報も情報公開の対象として公開されることが一般的になっていますが、その一端を収録しました。司書の採用試験（特に専門科目）とはどういうものか、をここからイメージし、学習の参考にしてください。

　そのほかに、大学における図書館情報学の学び、資格取得の場である司書講習の一例、司書の採用試験の公募の事例を参考に収めました。詳細はそれぞれ自分のめざす対象について、ネット上に公表されているものですから、適宜アクセスしてください。

　本文でも詳しく取り上げますが、いま図書館に正規職員として職を得ることは非常に厳しくなっています。司書になりたいと思う人と、実際に職に就ける人との開きは以前から大きかったのですが、近年、正規職員としての雇用を抑制し、その代わりに非常勤や嘱託、臨時職員を充てたり、本来公務員が担うべ

き仕事を民間に委託したりという国や自治体の施策が進んで、いっそう厳しさが増しています。図書館員への「招待」にこういうことを書くのは非常に辛いことですが、事実としてふれざるを得ません。

　しかし、それでも有為な司書を必要としていることは確かですし、決して広くはないがその門は開かれています。その門をくぐる一人ひとりへの期待はいっそう大きいものがあります。そこに挑んでみようという若い力を期待して、本書がそのためのいくらかのサポートになればと願っています。

　　2019 年 12 月

　　　　　　　　　　　　　　　　　　　　　　　　塩見　昇

［Ⅰ］

図書館と
図書館員への期待

1 │ 図書館と図書館職への誘い

塩見　昇

▍▍ 進路としての司書

　学校で子どもたちに、「あなたは将来、どんな仕事をしたいですか」とたずねることがよくあります。時代によってその答えには変化もありますが、スポーツ選手やテレビ、ドラマの人気タレント、話題になった著名人などの影響が強い一方で、伝統的に学校の先生や医師、看護師なども上位を占めるようです。そうしたなかで特に女子の場合、図書館の先生、図書館の司書、という回答があがることも報告されています。こういう回答が出るためには、一定の条件が必要だろうと思います。どこの学校でも、ということにはならないところに、この仕事をめぐる現在の状況があると言えましょう。

　自分の将来の進路に「図書館の司書」がイメージされるということは、日ごろ学校の図書館（まちの図書館も含めて）をよく利用しており、図書館の司書（子どもたちは「図書館の先生」という言い方をよくしますが）からいろいろな面白い本を紹介してもらったり、本を読んでもらったり、調べごとのアドバイスを得たりした経験があり、そんな人（仕事）に何となくいいなと感じていることが前提にありましょう。

　本が好きだ、という子どもにとっては、それを毎日の仕事にできるのは、素晴らしく楽しそうだし、生きがいになるのでは、と思えるのはよくわかります。ただ、そうした司書像をもてる子どもがどの学校でも、どこの地域でも当たり前になっているとは言えない現実もまだまだ少なくないのは残念なことですが。

　大学生が大学を選ぶさいに、図書館司書の課程を学べる学校を選択したり、図書館学を履修する理由に、子どものころから図書館の司書にあこがれていた

ので、と語る例も私はこれまで少なからず経験してきました。子どもたちに進路としてイメージされる図書館、あるいは図書館の司書というのはどういう世界か、その魅力はどこにあるのか。人が本を通して楽しい経験をしたり、ものを考える手がかりとなる素材を提供することで人の学びや仕事を支援する働きといえば、そこにある種のロマンを感じることはもっともなことと言えましょう。しかし、仕事として考えると、面白そう、楽しそうというだけではすまないことも当然です。

　この章では、図書館と図書館職についてのごく基本的なこと、これだけはしっかり頭に入れて進路として考える際の判断のうちにもっていてほしいということを紹介しようと思います。それが読者の皆さんに対して、図書館と図書館職への誘いとなれば幸いです。

▋▍▏ 体外の記憶装置

　たくさんの書物の集積でイメージされる図書館には長い歴史があります。クレオパトラの時代のアレキサンドリアは、大規模な図書館を擁する古代社会きっての学問と文化のメッカとして栄えていました。その時代よりもさらにはるか昔から、人間は図書館をつくり、育ててきました。

　アメリカの科学者カール・セーガンは、著書の『コスモス』において、地球の誕生と人類の進化という壮大なドラマを語るなかで、

　　　私たちの遺伝子が、生き残るために必要な情報のすべてを蓄えることができなくなったとき、私たちは、ゆっくりと脳を発見した。そのあと、おそらく１万年くらい前のことだろうか。私たちの脳のなかにたまたま納まっているものよりも、もっと多くのことを私たちは知らなければならなくなった。そういう時期がきたのである。

　　　それで、私たちは、ものすごい量の情報を、遺伝子でも脳でもないところに貯えることを学んだ。このように、からだの外に、社会的な"記憶"を貯える方法を発明したのは、この地球上では私の知る限り人間だけである。そのような"記憶"の倉庫は図書館と呼ばれている。

（木村繁訳　朝日新聞社）

と述べています。人間だけがもち得た「体外の記憶装置」、それが図書館だというわけです。たしかに人間は、頭のなかにしまいきれない記憶、知識や知恵を記録化された文化財として蓄え、それを必要に応じて取り出し、活用することをはたしました。それによって、他の動物とは決定的に異なる文化を生み出すことを可能にし、それが人間をこの地球の「支配者」たらしめたのです。

　こうして社会的な共有物となった文化財、すなわち書物ですが、それを実際に駆使できたのは、長い間一部の人たちに限られていました。「よらしむべし、知らしむべからず」という言葉に象徴されるように、知識や情報を占有する少数者が、もたざる多数者を支配するという関係が、人間社会の長い歴史を形づくってきました。それが変化を遂げるのは、近代市民社会以降のことです。

▍知識の共有

　18 世紀のはじめ、アメリカがまだイギリスの植民地だったころ、新しい時代に夢をはせる若き工員のフランクリンが仲間と語り合ってこしらえた談論の場＝ジャントークラブには、彼の提案でメンバーが所持するいくばくかの書物がもち寄られました。それは次のような発想にもとづくものでした。

　　われわれの論文の中には、各自の蔵書が引用されることが多いから、集会の場所に本を全部持ち寄って、必要に応じて調べることができるようにしたら便利だろう。こうしてみんなの書物を集めて共通の蔵書にしておくならば、……会員ひとりひとりがそこにある書物全部を持っているのとほとんど変わりない利益を得ることができる。

（『フランクリン自伝』岩波文庫）

　新しい知見を得、仲間との議論に供する論文を執筆するためには、参考にする書物が必要ですが、各人がそれぞれ自分の手元に僅かの本を所持するのではなく、一つの場所にもち寄って「共有」すれば、よりいっそう大きな利便を得ることができようという、きわめて合理的な発想でした。これがアメリカにおける会員制図書館の萌芽であり、のちに「近代図書館の祖」と呼ばれることに

なる試みでした。

　「近代革命の中で最も徹底した人権革命」とされるフランス革命は、公教育の思想を確立するうえでも大きな役割を果たしました。旧体制による支配に対して、革命が一般民衆の自由・平等を求めるとき、それを阻害している主な要因として、民衆の無知が問われざるを得ませんでした。憲法にどんなすばらしい人権宣言がうたわれていようとも、そこに規定されている人権の意義と価値を民衆がよく理解し、それを保持し行使しようと努めなければ、すべてが無に帰してしまうからです。それが一般民衆に平等な公教育を無償で用意し、普及する営みの原理になったのです。しかもその教育は、「個人が学校を卒業する瞬間に放棄されるようなもの」であってはならないし、「諸階梯を通じて人間知識の全体系を包含しなければならず、全生涯を通じて誰でもこれら知識を確保し、若しくは新たな知識を獲得し易からしめねばならぬ」ようなものであることが求められたのです。これが革命議会にコンドルセが提出した教育計画の主眼でした（『革命議会における教育計画』岩波文庫）。

　こうした考え方を背景に、支配階級から奪取した蔵書を民衆に開放することで、フランスの公共図書館の基礎が築かれました。

　近代図書館の制度的な確立には、社会政策的な側面を含めて多様な要因が錯綜することは確かですが、少なくとも知識を社会的な共有の糧とし，社会の構成員すべてが共通の判断材料を基に考え、行動できることが、社会の民主的な発展に欠かせないという認識の高まりが、その気運を醸成したことは明らかです。とりわけそのための経費を共通財源でまかなうことの承認（公費による負担）が、無償を原理とする近代公立図書館を 19 世紀半ばの欧米において、制度として生み出したのです。図書館が民主主義の礎とされる所以です。

📖 図書館記念日と図書館法

　『年中行事事典』や『365 日の本』などで今日は何の日かを調べてみると、「○○の日」がずいぶんたくさんあることに驚かされるかと思います。国が法律で定めているようなものもあれば、関連する業界が提唱するもの、語呂合わせのようなものなどさまざまですが、そのなかに「図書館記念日」というものがあることを知っている人はそれほど多くはないかもしれません。

　毎年4月になると、日本図書館協会が「図書館をもっと身近に、暮らしの中に／4月30日は図書館記念日　5月は図書館振興の月」とうたったポスターを作成し、全国の公共図書館などに掲げて、周知を図っています。図書館の整備・振興をよりいっそう社会に広げていきたいという願いによった運動のキャンペーンです。

　4月30日というのは、日本において公共図書館の制度を根拠づけている図書館法が公布された日を記念したものです。第二次世界大戦の敗戦を機に、日本の教育を民主的に改革する必要を強く意識したアメリカ占領軍の指導のもとで、図書館の整備を重視する機運が高まりました。図書館法は教育基本法、社会教育法の理念を受けて、公共図書館が国民の「教養、調査研究、レクリェーション等に資すること」を目的に設置されることを明示したものであり、図書館運営のしくみ、図書館奉仕の内容、「入館料その他図書館資料の利用に対するいかなる対価をも徴収してはならない」という無料公開の原則など、公共図書館の重要な在り方をはじめて法律で規定したものです（無料を規定した第17条のみは事情により一年後の施行となりましたが）。

　戦前の日本においては、教育に関することはすべて国会で審議決定される法律にもとづくのではなく、天皇の名による勅令で国民に示されることになっており、図書館についても図書館令がその根拠になっていました。したがって、公共図書館が法律により、国民の権利としての体系に位置づけをもって設置・運営されることになったのは、この図書館法の制定を待ってのことであり、アメリカやイギリスと比べると100年の遅れをとったと言われるのはそのためです。

　図書館法の制定には，日本図書館協会に結集する図書館関係者、文部省の社会教育担当者、そしてアメリカ占領軍の関係部門が力をつくして成立に至ったことがよく知られていますが、その図書館法を廃止して社会教育法に統合しようという動きが文部省内にあることが1970〜71年に伝えられ、図書館界はこれに強く反対し、この動きを阻止しました。そのなかで「図書館法を守ろう」、「図書館法の理念を実践しよう」という運動が追求されるようになりました。この流れのなかで、日本図書館協会が1971年11月の全国図書館大会で、図書館法公布の4月30日を「図書館記念日」に、5月を「図書館振興の月」とす

ることを提案し、決議されたのです。

📚 図書館サービスという考え方

　図書館法が生まれた当初に、その立法にかかわった文部省の社会教育局長であった西崎恵がその解説書を書いています。そのなかに、この法がつくられた趣旨について、

> 　新しい図書館は、国民に奉仕する機関でなければならない。国民が何かを学ぼうとする時、国民が一般的な教養を高めようとする時、国民が何か楽しもうとする時、これに十分サービスし得る図書館でなければならない。図書館法はこの新しい図書館の行うサービスの活動を図書館奉仕として規定した。
> 　　　　　　　　　　　　　　　　　　　　　　（西崎恵著『図書館法』）

と述べています。国民のさまざまなニーズに応えてサービスする図書館を「新しい図書館」と表現しているところに注目していただきたいと思います。それまで、特に戦前の図書館では、国の期待する「臣民」の育成に関心が集まり、国民にサービスするという視点が乏しかったことへの反省をこめて、図書館はサービスする機関だと強調しているわけです。

　この考え方が日本の公共図書館の日常に定着し、図書館活動として具体化されるにはある程度の歳月を必要としましたが、1960年代半ばから70年代を通して、公共図書館のサービス活動は顕著な進展をとげてきました。一口で言うと、国民（住民）の求める資料や情報を確実に提供する、という活動の進展です。

　人が図書館を利用し、図書館に求めることは、その折々によって多様でしょうが、最も一般的には、何かを知りたい、読みたいということでその手がかりとなる図書をはじめいろいろな資料を求めることでしょう。その求めを受けて、その人がいま一番必要としている資料を、確実に提供することです。そのさい「本の貸出し」が最も基本的なサービスです。「いつでも、どこでも、だれにでも」という合言葉が、1965年に活動を始めた東京の日野市立図書館の運営方針に掲げられ、70年代初めに開設された大阪市立西淀川図書館では、「お求め

の資料は草の根をわけても探します」とアピールしました。住民の求める資料を確実に保障することが図書館の役割だ、という確信が図書館サービスの基本として共有されるようになったことの現れです。

　こうした活動が図書館サービスの基調として定着するようになると、それを裏づけるためのサービスの方法論や条件整備が不可欠となるし、サービスの広がり、深まりをめざしての新たな課題も明らかになってきます。図書館サービスを身近に経験できる暮らしを「豊かさ」と実感する人たちも現れてきます。そういう図書館サービスの幾つかの側面を、次にもう少しくわしく見ていきましょう。

📖 あらゆる疎外をなくす

　図書館サービスの目標として「だれにでも」ということを考えると、そこではサービスの公平性、人によって均質性を欠いてはならない、という原則が想起されましょう。公立図書館であれば、まずはその自治体の全住民がサービス対象であり、だれもに利用してもらえる状況をめざすことが重要ですが、人はそれぞれみな異なる様態をもって暮らしています。バリアフリーとかアウトリーチという言葉があります。図書館サービスに引き寄せていえば、人それぞれが負っているバリア（障壁）を超えて、図書館を利用できる条件を図書館側が整備する責任であり、そのために通常の方法から一歩踏みこんだきめ細かなサービス方法を生み出すことを指します。基本的人権として「文化的な生存の権利」を保障するという考え方に依拠した課題です。

　図書館に多く備えられている普通の活字の本を読むことができない視覚障碍者、図書館まで来館することが困難な肢体不自由者や高齢者、図書館までの距離がよほど遠いところに暮らしている人、日本語の図書を読む力をもたない外国人居住者、読み書き能力の習得に十分でない人、近年の図書館で普及している情報機器の活用に不慣れな人、などなど、図書館利用におけるバリアにはさまざまなことがあります。それらを当人の負っているバリアのせいとせず、その人たちが求めを充足することを妨げている図書館側のバリアとして認識し、その克服をサービスの課題ととらえることが、アウトリーチの活動です。

　図書館はすべての住民が必ず利用しなければならないわけではありません。

現に図書館から本を借りるための登録をし、月に1、2回程度の常連的な利用
をしている人の割合は、活発な活動をしている自治体の図書館でも3割を越え
るところは少ないでしょう。それが「すべて」に及ぶことはないでしょうが、
しかし、図書館の所在を知らない、図書館が提供しているサービスをよく知ら
ないままに、自分には関係がないところだと思いこみ、図書館の「未利用者」
になっている人をそのままに放置することは、これも重要な疎外であると把握
することが必要です。

　こうしたことを含めて、あらゆる疎外の条件を取り除くことを意識し、すべ
ての住民の利用に向けて、日常不断の努力を重ねることが図書館サービスの基
本でなければならないのです。図書館を使うことで、どういうことができるの
か、について1987年に日本図書館協会が策定した「公立図書館の任務と目標」
が掲げる8項目を次に掲げておきます。こういう図書館像を当たり前のことと
してだれもがもっている、という状態を既存のものとしていくことが大切です。

公立図書館の任務と目標　第3条
　　住民は、図書館の利用を通じて学習し、情報を入手し、文化的な生活を
　営むことができる。図書館の活用によって達成できることは多様であり、
　限りない可能性をもっているが、おおむね次のようなことである。
　1　日常生活または仕事のために必要な情報・知識を得る。
　2　関心のある分野について学習する。
　3　政治的、社会的な問題などに対するさまざまな思想・見解に接し、自
　　　分の考えを決める糧にする。
　4　自らの住む地域における行政・教育・文化・産業などの課題解決に役
　　　立つ資料に接し、情報を得る。
　5　各自の趣味を伸ばし、生活にくつろぎとうるおいをもたらす。
　6　子どもたちは、読書習慣を培い、本を読む楽しさを知り、想像力を豊
　　　かにする。
　7　講演会・読書会・鑑賞会・展示会などに参加し，文化的な生活を楽しむ。
　8　人との出会い、語りあい、交流が行われ、地域文化の創造に参画する。

■■ ネットワークで応える

　利用者が求める資料を「草の根を分けて」も探し出し、必ず応えようと約束することを「予約サービス」と呼んでいます。それには図書館として必要な三つの対応があります。求められた資料が、①自館に所蔵しているが現在貸出し中である場合は、返却を待って優先的に貸し出す、②未所蔵の場合、新たに購入して貸し出す、③所蔵している他の図書館から借り受けて提供する。この三つを徹底して実行すれば、自分の図書館にない資料でも、ほとんどを提供することが可能です。このサービスを実際に体験した利用者は、図書館に対する親しみや信頼を非常に高めることになるものです。そういう経験を綴った新聞の投書などをよく見かけます。

　このサービスの徹底にどうしても欠かせない要件が、図書館間の相互連携、図書館ネットワークの形成です。図書館事業の大きな特徴であり、本質的な要件が組織性です。もともと図書館というのは、たくさんの図書を収集し、体系的、組織的に整備したものですが、そういう図書館同士がお互いに連携し、協力し合うことで蔵書の共有を確かめあい、必要に応じて貸借しあうことを本来的な在り方だと考えてきました。図書館をそのような仕組みだと認識することで、人類が蓄積してきた知の体系、膨大な書物の総体への人々のアクセスを保障する機関となり得るのです。

　「文献宇宙」という言葉がありますが、そこへのアクセスの手段が図書館だという考え方は、ずいぶん以前から意識されてきました。しかし、それが実態として機能するためには、利用者の求めに必ず応えるというサービスの取り組みが必要でした。言いかえると、予約サービスは図書館の組織的な連携、それもできるだけ広くしっかりした組織性の強化があってはじめて成り立つものなのです。こういう関係を図書館ネットワークといいます。

　図書館は、大きな文献宇宙に立ち向かう探索の組織の総体であり、一つひとつの図書館はその入り口なのだと考えるとよいでしょう。その大きな組織のなかに、設置母体を異にする他の公立図書館、県立図書館や国立国会図書館、さらには大学の図書館やいろいろな専門分野の情報ライブラリーなどをも包みこむことで、個々の図書館はよりいっそう大きな力を備えることになるのです。

▐▌\ 知的自由のひろば

　図書館を舞台にし、若い女性司書が主人公で活躍するフィクションで、コミックになったり映画化もされ、ひところ話題を集めた作品に有川浩の『図書館戦争』があります。読んだ人も多いかと思います。「メディア良化法」に裏づけをもち、武力による検閲が合法化された仮想社会において、検閲と闘い、図書を守ることを任務として図書館に配備され、日夜武闘訓練に励むのが主人公たちです。著者は角川文庫版の別冊1の後書きインタビューのなかで、この作品を書くことになったきっかけを次のように述べています。

　　　次に何を書こうかなあって考えていたときに旦那が、図書館の入り口に掲げられていた「図書館の自由に関する宣言」のプレートを見つけてきて、「これ面白くない？」と。エンタテインメントの素材としてこれほど魅力的なものが、今まで手を付けられずに残っていたということが、まず信じられなかったですし、「これは早く書かなくっちゃ」と思いました。（中略）
　　　検閲と戦う、自由を守るっていうことは、ものすごい意志の表明ですよね。図書館という一見すると文系のおとなしそうな組織が、こんな勇ましい宣言を持っていた。今まで持っていた図書館に対するイメージと、この宣言に対するギャップ、それをそのままタイトルにしたっていう感じです。

　検閲や表現の自由といった硬派の主題をみごとなラブコメディに仕立てた著者の創造力と筆力に驚嘆させられますが、そのきっかけが図書館に掲げられた自由の宣言であり、図書館のイメージとの「ギャップ」だったというのは面白いですね。
　武力闘争はともかく、図書館は本を読みたいという人々の意思を大事にし、読みたい心を抑圧するようなうごきにはしっかり対峙する、というのは図書館の重要な使命です。日本図書館協会が1954年の全国図書館大会に提案して採択し、図書館活動の進展に即して1979年に改訂した「図書館の自由に関する宣言」は、次のような主文を骨格につくられています。

　　図書館は、基本的人権のひとつとして知る自由をもつ国民に、資料と施設を提供することを、もっとも重要な任務とする。

　　この任務を果たすため、図書館は次のことを確認し実践する。

　　第1　図書館は資料収集の自由を有する。

　　第2　図書館は資料提供の自由を有する。

　　第3　図書館は利用者の秘密を守る。

　　第4　図書館はすべての検閲に反対する。

　　図書館の自由が侵されるとき、われわれは団結して、あくまで自由を守る。

　図書館が収集し、提供する資料（とりわけ図書）は、人が生み出した思想や想像力の成果であり、マスメディアが送り出す膨大な情報の中ではその一つひとつがとりわけ個性的で、多様性に富むことが特徴です。それだけに、その内容についての評価や好みが人によって分かれがちであり、今の時代に優れた著作として評価が高い図書も、かつては偏った主張だ、危険な本だと非難を受けた歴史を負っていることも珍しくありません。そういう図書を幅広く集め、保存し、それを必要とする人と結びつける働きを重ねるための図書館と図書館職には、人間の知性に対する信頼と寛容さが強く求められます。そのことを社会に対する約束として表明したものがこの宣言です。

　図書館の日常において遭遇するトラブルにはいろいろなことがあります。人権侵害や差別の助長、プライバシー侵害などを理由に、どうしてこんな本が図書館にあり、無制限に提供されているのかと批判を受けたり、利用者の記録（貸出や調べごとの内容、複写記録など）の公表を外部から求められることもあるし、講演会や展示会の内容が偏っていると非難を受けることもあり得ます。そうした事態への対処の基本的なことを宣言は取り上げています。

　宣言はこれ自体が法的な拘束力をもつものではありませんが、その内容が多くの図書館によって日常的に実践され、図書館とはこういうものだという事実として社会に広く認識され、支持されることによって、規範性を備えたものともなっていくことが、近年の図書館裁判における判決からもうかがえるところです。

　「図書館の収集した資料がどのような思想や主張をもっていようとも、それを図書館および図書館員が支持することを意味するものではない」。これは宣言の中の「収集の自由」について述べた一節です。これを自らの責任や判断を棚上げにした表明と見るのか、それともこのように言える実態をつくりあげる日々の蓄積の重さとして受け止めるか、ぜひ考えてみてください。

　図書館を知的自由のひろばとして、社会に広く根づかせていく「たたかい」にぜひあなたも加わっていただけると嬉しい、と思います。

📚 図書館をみんなのものに

　図書館はいったい誰がつくるのでしょうか。図書館建設を発議し、予算化するのは自治体の首長（知事、市町村長）ですし、その予算を決定するのは議会です。すでに図書館があって、新たに分館をつくったり、新館へ建てかえる場合であれば、その内容等を準備するのは館長や職員が主になって検討することでしょうし、そのための基本構想を第三者の外部組織に依頼することもあり得ます。それぞれが図書館をつくる人たちであり、機関と言えます。しかしそのいずれの場合であれ、どんな図書館をこしらえるのかを考えるとき、最も大事に考えるべきは、その図書館を利用する住民の思いであり、願いです。図書館の建設に必要な資金は、住民の拠出した税金によるのですから、究極のところ、図書館をつくるのは住民自身だと言うべきでしょう。

　図書館をはじめ公民館、博物館、体育館など住民が利用する公共施設を地方自治法は「公の施設」と規定し、その利用が住民の誰に対しても公平に開かれていなければならないと定めています。ここで「施設」という言葉に注目してください。施設は「施し、設ける」という言葉であり、長年にわたって、公共施設は自治の主体である住民が自ら設置するというよりは、上から「施し、設けられる」ものとして存在してきた歴史があります。本来、地方自治行政において、住民は決して施される存在ではなく、自らの意志で発案し、設置する主体であるはずなのです。それが地方自治の本旨です。

　いま全国各地に「図書館をつくる会」「図書館を育てる会」「図書館友の会」といった住民の連帯した活動がたくさんみられます。この章に収めている静岡の佐藤さんの活動もその一例です。図書館のあるまちの多くにこうした活動が

あり、図書館のないまちでは「つくる」運動もみられます。こうした住民の活動は、1970~80年代以降の日本の社会にみられる大きな特徴です。図書館がようやく住民にとって施されものではなく、自らの意志で「つくる」ものになってきたことの現れです。こうした住民の活動によって日本の図書館の整備状況、近年では学校図書館についても言えることですが、大きく変わってきたことは確かです。

　　もし、あなたが現在の図書館サービスに満足しているのなら、それに感謝して友の会に入会しませんか。もし図書館に何かを付け加えたり、改善しようとお望みなら、その提案を携えて友の会に入会しませんか！

これは横浜の市民による「よこはまライブラリーフレンド」が会報の冒頭に毎号、アメリカ・フロリダ州における同様の活動の合言葉に共感して掲げているものです。アメリカでも同じような思いが図書館をつくり、育てていることがうかがえます。こうした思いに支えられ、地域に根をはって育っていく図書館こそ、ほんものの公共図書館と言えましょう。

▌▍▌ 問われる図書館司書

　市民の暮らしにおける図書館のもつ意味、図書館の発展の跡と現代の状況について紹介してきました。図書館と図書館の仕事について魅力を感じ、関心をもっていただけたでしょうか。こうした図書館の今をつくり出してきた大事な要に図書館で働く職員、とりわけ司書の仕事があることが重要です。住民の、社会の図書館像の形成に最も深くかかわっているのは、図書館の活動を日々担っている図書館員、司書の姿であり、在り様です。利用者はいつも接する司書を通して図書館とはどういうものかを感じ取るし、図書館へのさらなる期待や要求を膨らませることにもなるのです。

　そのためには、図書館員自身が図書館のあるべき姿を不断に希求し、それに向けて努力する日常が大切です。図書館員の現況と仕事については次の章で、現にそれを担っている人たちからの紹介を含めて詳細に取り上げますが、非常に厳しい、難しい状況にあることも否めません。しかし、まだまだ図書館のあ

るべき姿にむけての模索にはチャレンジすべき課題もたくさんあります。それに挑んでいこうという若い力が望まれています。図書館づくりに向けての創造力が強く求められ、問われていることを理解していただけると嬉しいです。

2 図書館員への期待

░▚ 図書館と図書館職員への期待

武久　顕也

〈はじめに〉

　瀬戸内市では、2016年6月に新しい瀬戸内市民図書館が開館し「公設公営方式」で運営管理しています。図書館をどのような方法で建設し、運営するかの意思決定は、その地域が何を求めるかによって異なり、めざす目的によってマネジメントの手法も異なってきます。与えられた条件と、めざすまちの姿にそった役割を担うことが、図書館の価値を高めることにつながります。

　また、図書館で働く職員にも求められる能力（コンピテンシー）は、めざす図書館像によって異なるし、それにそった人材育成が求められます。

　ここでは、図書館建設を公約として掲げ進めてきた立場として、行政組織全体から見た図書館とその職員の姿にふれ、それらが価値を高めていくために期待される役割にふれてみます。

〈図書館に期待する公共の役割〉

　図書館に期待される役割は、そのめざす目的、地域の状況などによって異なりますが、図書館で行われるサービスは、図書の貸し出しだけではなく、「人づくり」という学習の視点が含まれ、これこそが図書館の重要な役割であると考えています。その役割は、図書館である以上、公設公営であろうが公設民営であろうが共通でしょうが、特に公設公営の図書館ではよりいっそうその役割が強く求められます。なお、本市では、指定管理者制度は「人づくり」が中長期的になされるかどうかという点において、本市のめざす図書館の姿にはなじまないと考え公設公営による建設、運営を選択しました。

　図書館は何かが生まれて育まれたり、何か良いつながりができたりする場所

であり、市民の幸せに直結する場所です。瀬戸内市民図書館は、そのコンセプトを「持ち寄り見つけ分け合う広場」とし、愛称はそのコンセプトの頭文字をとって「もみわ広場」と名づけられました。そのような場所を任される図書館司書を中心とした職員には、市民の幸せとまちの発展を願うという高い使命感をもって運営してもらいたいと願っています。

〈図書館職員に期待すること〉

　図書館司書は専門職であり、そうであるがゆえに、一般行政職との見えない壁があります。首長は、一般行政職に脇を固められて仕事をしているため、図書館司書は「あいつら」になりやすい状況にあります。そうなると、いくら声を上げても届かないという、お互いの不信感や溝ができてしまいかねません。したがって、普段からの戦略的なコミュニケーションが求められるのです。

1.　流動化する図書館司書の労働市場を生かす

　わが国の公務員の労働市場は決してまだ流動化しているわけではありませんが、徐々に専門職のそれは変化しつつあるように思われます。自治体の公務員の採用において、図書館司書も従来はその組織への帰属を前提として採用が行われていました。しかし、その結果として、ジョブローテーションの行き先が限られ、専門とは関係のない部署に配属される可能性も否定できませんでした。ところが、近年インターネットの普及などの影響によって手軽に求人を出せる環境が整い、組織を自由に渡り歩ける風土が育ってきました。専門性を高め管理職へと成長していくためには一つの組織にとどまるよりも、複数の組織でキャリアを積みスキルを高めていく人材を登用するようになりつつあります。瀬戸内市においても、図書館建設の経験のある図書館司書がいたこともあれば、図書館に公設民営の指定管理者制度を導入することに携わった経験のある司書がいるなど多様です。労働市場が流動化することは人材の価値を高めますが、優秀な人材をとどめるための努力も組織に求められるようになります。あわせて、優秀な人材同士の切磋琢磨も期待できます。司書のみなさんにもキャリアを自ら切り開いていく意欲を期待したいです。

2. 財源と人材の確保を行う

　図書館関係者から予算と人が足らないという話を聞くことがありますが、獲得のテクニックを磨いているのか疑問に思うことがあります。予算と人は、めざす将来像とその実現のための計画目標を達成するための手段として、着実に資源配分されるように努力しなければなりません。多くの自治体の場合、地方交付税交付金の交付団体であることから、市税が増えても、その増額分の税収の4分の3に相当する地方交付税交付金は減額されます。したがって現場では少しくらいと思う予算確保でも、一般財源のみを使って行う場合その4倍の財源が必要となります。例えば、開館時間の延長のために職員を一人増員するなら、人件費としては数百万から1,000万円単位の歳出となりますが、その財源として補助金などではない一般財源を使う場合は、その4倍の税収を使うことになるのです。このような財政の仕組みを図書館司書など、現場の職員は認識する必要があります。このような共通の認識なしに現場の声を聞いてほしいと言われても、どこの自治体も厳しい財政運営を行ってるなか、意見は通りません。

　したがって、現場としても有効な財源を確保する努力を怠ってはなりません。国のさまざまな交付金や補助金、さらには、ふるさと納税をはじめとした寄付金の獲得など、歳入確保策を考えることによって、一般財源の支出を抑える努力をしながら、図書館のサービス向上と予算の確保を行う必要があります。

3. 政策やまちづくりに貢献する

　図書館職員は市民から最も信頼されているかもしれませんが、行政の側から見るとそうとは限りません。自分たちの権利を主張し、図書館に守られた人たちという印象を与えることもあるのです。そのことは、結果的に指定管理者制度の導入などによって、自らの職域を狭めることにつながることを認識する必要があります。したがって、さまざまなまちづくりや政策推進の場面で、図書館のもつ資源を活用して、どのように貢献するかを考え実行するとともに、そのことを図書館のプロモーションに生かすことが大切です。例えば、瀬戸内市では本市でかつて作られた国宝の刀を瀬戸内市に里帰りさせるクラウドファンディングのプロジェクトを行っていますが、図書館を拠点としてそのための図

書の展示やイベントを開催し、プロジェクトの後押しをしてくれています。

4.　コミュニティ・リーダシップを身につける

　図書館司書が専門職としてこれからも必要とされる人材であるためには、継続的な人材育成を行う努力が欠かせません。図書館司書が専門性を磨くのは言うまでもありませんが、あわせてコミュニティを引っ張る力（コミュニティ・リーダシップ）を身につけてほしいです。図書館にはいろいろな思いをもった市民が来られますが、そのなかで図書館が地域のなかで信頼を勝ち取るためには、書籍の知識の提供だけではなく、コミュニティを巻きこんで市民に読書習慣を身につけていただいたり、図書館の利用者を増やしていく方法を市民とともにに考えていく力が必要です。そこで求められる力が、コミュニティ・リーダシップです。

　これは、決して政治的な動きを求めたり、説得力のある話を人前ですることを意味するのではありません。例えば、自分が埋蔵文化財の知識をもっていればそれを接点として、市民との関係をつくり出していくとか、絵画の技術をもっていれば、絵画と図書館との接点を探り企画をするのもよいでしょう。大切なことは図書館司書という狭い資格の範囲にとらわれることなく、市民との協働によって信頼関係をつくる能力がコミュニティ・リーダシップであり、その力を身につけられるように動くことです。市民との協働は公設公営の図書館が得意とする分野で、それによって公立図書館はさらに価値を高めることができるのです。

5.　人材の育成を途切れなく行う

　館長など管理職となる人材を計画的に育成していくことも、組織をマネジメントするうえで重要です。小さな自治体では専門職の数はそれほど多くはありません。人事を考えるさいには、役所全体の人事の都合によって振り回されないように、事前に教育委員会、人事担当部局と相談しながら館長ポストなどに人材を計画的に配置できるような調整が大切でしょう。

〈おわりに〉

　瀬戸内市では、図書館が公共の役割を高めることが地域の課題解決につながるという考えのもと、公共だからできる「人づくり」や市民との信頼を重視した公設公営の図書館建設、運営を行い、2016 年に開館して間もない 2017 年には、ライブラリーオブザイヤーの大賞を受賞しました。このことを励みに瀬戸内市民図書館は現在も市民との協働を基本にして、新たなテーマに挑戦しています。図書館と図書館職員だからこそできることはたくさんあります。市民との信頼関係、行政のなかでの信頼関係を高め、全国の図書館がもつ力を地域に対して発揮してくれることを期待したいです。

📚 図書館員になろうとしているみなさんへ

小林　隆志

〈図書館員への期待〉

　私がはじめて公立図書館の利用者となったのは、就職してからでした。自分が生まれた町（市町村合併が進む前の旧町）には、自宅から歩いてはもちろん、自転車で移動できるところに公立図書館は今でもありません。

　自分にとって、本との出会いの場を提供してくれたのは書店です。高校からの帰り道、決して広いフロアではありませんでしたが、6 階建てのビルがまるまる書店でした。フロアごとに配架されている本はジャンルが分かれており、各階ごとの雰囲気の違いにドキドキしたものです。専門書のフロアに行くと、少し大人になったような感覚を覚えたように思います。毎日のように書店に通ったこの時期、本に囲まれた空間に自分は何を求めていたのか。昔の記憶をたどってみれば、それは「ワクワク感」ではなかったかと思います。

　最近では、全国のさまざまな図書館をお訪ねする機会が増えました。そのなかで感じるのはそれぞれの館のもつ独特の雰囲気が存在するということです。にぎやかな通りのような図書館。シーンと静まり返った緊張感さえ感じる図書館。見るからに welcome な気持ちを感じる図書館などなど。いろいろな図書館がそれぞれの魅力を魅せてくれますが、やっぱり自分は、好奇心をくすぐっ

てくれる「ワクワク感」を感じる図書館が好きです。もちろん、施設のつくり
や本棚の配置、置かれている資料や飾りつけなど、多くの要因が複雑に混ざり
合ってその雰囲気をかもし出しているのだと思いますが、その雰囲気をつくり
出しているのは、その館で働いていらっしゃる図書館員だと思います。職員の
人柄や welcome な気持ち、棚づくりの工夫等が雰囲気に現れるのです。図書
館はサービス業ですから、どういう気持ちで利用者を迎えようとしているのか、
ストレートに館の雰囲気につながっていくと思います。どんな図書館をめざす
のか、個人で考えるのと同時に職員全体でイメージを共有することが大切だと
思います。

　みなさんは、「図書館の使い方ぐらいは誰でも理解している⁉」と思ってい
らっしゃいますか？　この本を手にしていらっしゃるぐらいですから、図書館
には何らかの興味があってこの文章を読んでいらっしゃるのでしょうから、
きっとあなたは図書館の使い方を良く理解している方なのでしょう。ただ私は、
そうではない方々もいらっしゃるということを考えながら仕事に取り組まなけ
ればならないと強く思っています。

　こんな事例があります。高等学校の図書館に勤務した職員が話してくれまし
た。カウンターに本をもってきた生徒が、「いくら払えばいいの？　って聞くん
ですよ」とか。さまざまな団体の集まりに出かけて行って、図書館の機能につ
いて説明すると、「そんな使い方ができるとは知りませんでした」とか。まだま
だ図書館利用の経験がない、または経験する機会がなかったという人たちはた
くさんいらっしゃるのではないでしょうか。市町村合併が進んで図書館の設置
率自体は高くなったように見えますが、日常的に図書館を利用するのには不便
な環境にいらっしゃる方、またそういう環境で大人になった方に、「なぜあなた
は図書館の使い方を知らないのか」と問うのは失礼な話のように思います。

　私はむしろ図書館の方から図書館の外に出て、図書館利用について話をする
機会をつくっていくことが大切だと思っています。私の館ではそれを「営業」
と呼んでいます。市民の集まりや企業の方の研修の場など、さまざまな場面が
想定されますが、図書館員がどんどんそういう場面に出かけて行って利用法を
伝授していく、そういう図書館員が求められていると感じています。

〈図書館への期待〉

　図書館にはさまざまな利用の仕方があり、一くくりでそのサービスの可能性を表現することはできそうにありませんが、図書館の存在価値を示す言葉として、自分にとって今しっくりきているのは、「夢をかなえる図書館」という表現と「社会のセーフティネットとしての図書館」という表現です。

　人生100年時代と言われるようになりました。長い人生のなかでは、順風満帆の時もあれば、思いもよらないトラブルに巻きこまれることもあります。いずれの時にもそっと背中を押してくれる存在。明日も頑張ろうという気持ちをもたせてくれる存在。身近にそんな図書館があれば、ちょっと違う人生が待っているのかもしれません。

　学位取得のための調べもの。社内でプレゼンテーションを行うための資料集め。事業計画を立てるための業界動向の調査。新しいアイデアを商品化するための情報収集などを「夢をかなえる図書館」とするならば、反対に、事件・事故にあってしまったさいに過去の判例を調べたり、病気になってしまった時には診療ガイドラインを調べたり、仕事を失って求人情報を閲覧したり、家族間の問題を解決するための糸口を探したり、こういう利用の仕方が「社会のセーフティネットとしての図書館」と言えるのかもしれません。図書館にはありとあらゆる情報が集約されていますから、その利用の仕方によっては、正にその時に必要な情報を取り出せる可能性があります。わが館は、「夢をかなえる図書館」「社会のセーフティネットとしての図書館」としての役割を果たせているだろうかと、つねにふり返ることが必要だと思います。

　本当の意味で調べられる、使える図書館になろうと思えば、やはり多様な資料群とそれをきちんとナビゲートできる司書、またそれを営業できる職員の存在が不可欠だと思います。

　やっぱり「人」の存在が、大きくその館の存在価値を左右すると思います。図書館で新たなサービスを行おうとする時、「それは図書館の仕事か？」とか「図書館がしなければならないのか？」とか「どこまでやればいいのか？」というような言葉を多く聞きました。これらの言葉を話していたのは、まぎれもなくほぼ図書館員です。そもそも一般の方にとって、図書館の仕事の範囲が何かなんていう事にはそもそも関心がないでしょうから、「ふ〜ん」で終わってしま

うことだろうと思います。実はこのことは図書館にとって結構危険なことだと思っています。図書館の魅力・図書館の力の源は、いろいろな使い方ができるということです。この可能性を図書館員自身が制限してしまっていることにほかなりません。図書館や図書館員を主語として図書館の仕事を語るのではなく、利用者を主語・主役として、図書館の多様な利用の仕方を広げていくことこそが、図書館員の一番大切な役目だと思っています。

　図書館の仕事は、真面目に利用者目線で仕事に取組めば、必ず利用者に喜んでいただける仕事だと思っています。是非、この Happy Business に楽しんで取り組んでいただけたらと思います。

📚 これからの図書館員に託すことば
——小郡市立図書館の司書として、館長として

永利　和則

〈小郡市役所の職員となる〉

　私が小郡市役所の職員となったのは、1979（昭和 54）年でした。最初、教育委員会社会教育課勤務を命ぜられて、小郡市体育館の事務室に席を置きました。当時、体育館の図書室には約 3,000 冊の蔵書があり、たまに、社会教育課の窓口に貸出を求めてくる人がいました。私は、この図書室の担当になったこともありましたが、リクエスト制度も知りませんので、年間 30 万円ほどの予算で全集などの本を安易に選び、全く市民の要求に応えていませんでした。今考えると「無知ほど恐ろしいものはない」という恥ずかしさでいっぱいです。

〈小郡市立図書館をつくる〉

　1984 年、小郡市出身の詩人で「文学散歩」の創始者である野田宇太郎氏が亡くなると、小郡市は寄贈された彼の蔵書 3 万点を活かすために、野田宇太郎文学資料館、図書館、文化会館の複合施設を建てることにしました。そのころの図書館は「単独館」が理想だったので、「文学」をキーワードにした「複合館」での図書館建設は、国からの財政援助を得るための苦肉の策でした。近年、国

は人口減少から「まちづくり」「にぎわいづくり」をキーワードに複合施設での公共施設再編を推進し、財源に厳しい地方自治体ではその制度を利用して、集客を主目的とした複合施設での図書館建設をめざしたりしています。しかし、法律にも定義されているように図書館は本来、社会教育の機関や社会教育施設としての使命がありますし、司書も社会教育に携わる任務と役割があることを忘れてはならないと思います。

〈小郡市立図書館の職員となる〉

　1987年11月3日に小郡市立図書館はオープンしました。しかし、小郡市の職員に公立図書館の経験者がいなかったので、山田幸雄市長自ら千葉県浦安市長にお願いして、日本一のサービスを誇っていた浦安市立図書館に、私も含めて図書館勤務予定の三人の若手職員を開館前に1か月間派遣しました。館内にはBGMを流すこと、貸出のさいに「ありがとうございました」を言うことなど、いたるところで浦安仕様のサービスが新しい図書館の運営に取り入れられました。このように、若い職員の意見に耳を貸し、積極的に実現しようとする上司がいる職場は働きやすく、活気に満ちたものになります。

　私は、1989（平成元）年に別府大学の司書講習で司書資格を取り、1990年には文部科学省の司書専門講座も受講しました。このおかげで、全国に司書仲間ができ、電話一本で図書館のいろいろなことが相談できるようになり、その交流は今でも続いています。人のネットワークは貴重な財産です。研修会などでは積極的に名刺交換などをして、知り合いや友人を多くつくってください。

〈小郡市立図書館の係長となる〉

　1994年に生涯学習課に異動となった私は、1997年4月に3年ぶりに図書館へ係長で戻ってきました。開館10年を迎えるころには、新たなサービスを提供する必要性に迫られていました。その一つが開館時間の延長でした。午後5時までの開館時間を午後6時とし、さらに金曜日は午後8時としたのです。午後5時までいた人たちが1時間残っているだけで、新たな利用者の掘り起こしにはつながりませんでしたが、市長は元に戻すことはありませんでした。

　もう一つは1999年のホームページの開設でした。まだ市役所のホームペー

ジもない時、財政担当者にその必要性を説明し、インターネット環境を整備し、ホームページ作成ソフトを購入して、若い図書館職員が提案したホームページ開設の夢を実現させることができました。若い時には積極的に新しい企画にチャレンジしてもらいたいですし、経験を積んだ時には裏方としてサポートする意識をもってほしいと思っています。

〈市役所市民課の職員となる〉

　2003年7月、市民課に異動しましたが、市民課の窓口は、図書館カウンターの和やかな雰囲気とは違い、来客対応でときどき怒号が飛び交うような場面もあり、ピリピリとした緊張感が漂っていました。このように、市役所の一般的な窓口と図書館のカウンターでは、同じ市民の利用でもその様相が大きく違っていることを認識しておかなければいけません。感謝されることが多かった図書館のカウンターでもトラブルの発生が年々多くなる傾向にあります。このことに対処するためには、職員と利用者のコミュニケーションがスムーズになるような接遇研修をしたり、いざという時の危機管理マニュアルを作成したりして、図書館サービスの向上に心がける必要があります。

〈日本図書館協会の会員となる〉

　市民課で働いているころは、いつ図書館に戻っても大丈夫な情報と知識を得ていなければならないと考えて、日本図書館協会の個人会員になりました。図書館にいる時には毎日の業務に一生懸命ですが、気づかないうちに新たな図書館の情報に触れることができます。しかし、いったん図書館を離れてしまうと、一人の利用者として以外は図書館との接点はなくなります。そこで、最新の情報を得るためには図書館の関係者といつも身近な距離でいることが必要となるのです。私の場合は、日本図書館協会、図書館問題研究会、日本図書館研究会などの図書館関係団体の会員となり、さまざまな研修会や大会に参加することで、不足がちだった情報と知識を得ることができました。

　また、私が司書になったころは、三つ以上の図書館関係の団体に入るように言われていました。正規職員でない場合、団体の会費を払うのは経済的に厳しいでしょうが、さまざまな団体が非正規職員枠の会費を準備していますので、

ぜひ活用して一つの団体にでも加入してもらいたいと願っています。そのことが、自分磨きでもあり、将来の自分への投資につながると考えてください。

〈日本図書館協会の理事となる〉

　2007年に九州地区の代表として日本図書館協会の理事になりました。図書館から離れている私にとっては、少しでも図書館関係にかかわることができると同時に、全国の図書館の動きがわかる機会と考えていました。さまざまな場で身近な図書館職員の話を聞く機会が増えると、地方の図書館職員の研修と情報交換の機会が少ないことが課題だとわかってきました。そこで、理事会では地方の声を届けることに力を注ぎ、研修会や講座を地方で開催できる回数を増やすための予算が必要だと訴えました。その一方で、地方の図書館職員が自ら企画・運営する研修や講座を実行しなければならないと考えて、2008年から「日本図書館協会九州地区図書館の集い」を、2011年から「日本図書館協会基礎講座in九州」を九州内の各県まわしで毎年1回ずつ開催したのです。

　特に、図書館基礎講座は、日本図書館協会が非正規職員でも気軽に図書館の基礎から学び直しできるように共通のマニュアル「『図書館基礎講座』の作り方」を基に全国の各地区で開催していますので、経験の浅い人、経験を積んだ人、司書にチャレンジしようとする人、再びチャレンジを試みようとする人などさまざまな人たちの受講をお待ちしています。また、気持ちに余裕ができ、図書館の仲間のために役に立ちたいときは、研修会や講座の企画・運営にトライしてほしいと思っています。

〈小郡市立図書館の館長となる〉

　2008年4月、人権同和教育課から図書館の指定管理者である財団法人小郡市公園ふれあい公社へ出向を命ぜられました。小郡市は、2006年度から2008年度まで図書館に指定管理者制度を導入したので、私は指定管理者の館長を1年間、直営の館長を定年退職する2016年3月までの7年間務めました。指定管理者の館長は市との契約通りの図書館を管理運営し、図書館行政に関する施策立案の権限のない民間人でした。

　しかし、直営の館長は、市長が選挙公約で掲げた「読書のまちづくり日本一」

を第五次小郡市総合振興計画に盛りこむことができた行政マンで、日本一の読書環境の整備と充実をめざして図書館経営を行えました。つまり、日本図書館協会が指摘している「図書館には指定管理者制度はなじまない」ことを実際に体験したのです。

〈小郡市立図書館を退職する〉

2017年3月、再任用職員の司書を最後に、21年間の図書館勤務は終わりました。私の場合、図書館だけでなく、市役所のさまざまな部署を経験し、行政の仕組みを学ぶことができたのは司書として大きな財産でした。司書は図書館の専門的職員ですが、自治体行政を担う職員でもあり、地域のオピニオンリーダーでもあります。現在、私は福岡女子短期大学で司書をめざす学生を目の前にして、「まずは公務員の司書を」と言い続けています。公務員の司書は狭き門で難しいかもしれませんが、明日の図書館行政を変えることができる司書が数多く誕生することを期待しています。

▌▌▌ 図書館、学校図書館に期待すること——静岡から

佐藤　英子

20数年前に静岡市の郊外に住まいを得ました。ほどなく図書館地域館が新設され、その翌年には学区の小中学校に学校司書が配置されました。

日々、存在意義を増す図書館、学校図書館ですが、自治体合併や公共施設民営化等の荒波にさらされたのは静岡市も例外ではありませんでした。

〈図書館を育てる〉

新設された児童館併設の地域館は、はじめのころには「本が少ないね」「子どもの図書館でしょう」という声が聞かれましたが、今では年配女性の利用者も多く、赤ちゃん絵本の講座では司書を囲む楽しそうな親子の姿があります。そして、近年の医療情報の豊富さやレファレンスにおけるウェブサイトの紹介等に社会の変化を感じています。近所の図書館は、いつでも安心して立ち寄れ

るうえに、全国から適切な資料を集めてくれる、私の日常生活のインフラになっています。

静岡市には12館の図書館と1台の移動図書館があり、図書館づくりの会や子どもの本の会等いくつかの市民団体があります。

私は2000年から5年間、図書館協議会委員を務め、「市立図書館の使命、目的とサービス方針」の検討に加わりました。図書館は市民にも幅広く意見を求めました。「使命」には「1　『図書館の自由に関する宣言』に基づき、知る自由を守る図書館、2　市民の暮らしや仕事、まちづくりに役立つ図書館、3　学びを通してさまざまな個性が育つことを助ける図書館。これらを実現するために、職員の専門的能力を高め、市民本位のサービスに努めます。また、図書館運営に関する情報を積極的に発信し、市民と行政が協力し合うことで成長する、開かれた図書館をめざします」(2017年改訂)とあります。本文書は図書館と市民が立ち返るべき根拠となり、後述する指定管理者制度導入の議論に影響を与えました。

静岡市では図書館新設のたびに有志の住民グループが発足し、市民団体と協力して市へ意見を届けてきました。また、時々の重要な事案に対して機敏に反応してきました。1996年には『タイ買春読本』を市立図書館の蔵書にすることの是非をめぐって、市民の間で論議がありました。私はこの時に、知る自由を問い続ける市民活動の役割と知る権利を守る市立図書館の矜持を学びました。

2006年には、市立図書館から協議会に指定管理者制度の導入について諮問されました。協議会は6年間に及ぶ議論を重ね、直営が望ましいとする報告書を市教委に提出しました。この間、図書館づくりの市民団体を中心に多くの関係者が直営体制への理解を求める努力を続け、2011年には市から直営の方針が出されました。私は一連の動きを経験し、図書館・協議会・市民の輪が淀みなく動いてこそ、利用者本位の図書館が育つと確信するようになりました。

現在、職員は正規と有資格者の非常勤の割合がおおむね1対3になっていますが、今後は専門職制度の採用が望まれます。さらに、図書館と住民との交流を密にして、創意的な全域サービス網を確立していくことが重要かと思われます。

〈めざす学校図書館像を求めて〉

　1998年6月から市内小中学校に1日4時間で専任・専門の学校司書配置が始まりました。わが子の通う学校にも司書が入り、その変化を目の当たりにすることができました。なかでも目を見張ったのは、小学校における貸出方式の変更と予約制度の実施です。子どもたちへの図書館だよりには、プライバシーを守るために貸出方式を変更することが丁寧に記されていました。予約制度が始まると、子どもから「こんなのしてほしかった」という声があったそうです。にぎやかな昼休みや授業の様子を見るたびに、人のいる図書館を誰よりも喜んでいるのは子どもたちであるという手応えを覚え、図書室が「楽しくて役に立つひろば——図書館」へと歩み出したことを実感しました。

　私の主な活動の場である「学校図書館を考える会・静岡」は、専任・専門・正規の学校司書の全校配置を望み、1996年に準備会を発足しました。当初のテキスト学習によって、「学校図書館は、学ぶ権利や知る権利を保障する学校のなかの図書館であり、資料提供が第一の使命」「児童生徒へのサービスと共に教師の授業づくりへの支援が重要な役割」ということを肝に銘じました。

　前述のように、1998年には学校司書配置が始まり、大きな成果が表れました。ところが、2003年に静岡市と清水市の合併により学校司書配置校が拡大する一方で、資格要件削除や雇用止めの導入という非常に困難な状況に直面しました。しかし、各地で奮闘する学校司書の実践や県下における学校司書配置の広がりが、私たちの活動のエンジンとなりました。なぜならば、現場の取り組みから以下の点をくり返し感じたからです。①子どもたちは司書のいる学校図書館で自分にぴったりの本や情報に出会い、知性や感性の広がりに喜びを見出していくということ、②さまざまなメディアから発信される膨大な情報を選び活かしていくリテラシーを身につけるのに学校図書館の活用は必須であるということ、③学校図書館での経験は生涯にわたって図書館を利用し続ける基礎になるということ。それは、学んできた理念を具体的な事実で裏づける道のりでもあり、期待する職員像を更新していく作業とも言えました。

　2018年度には市総合教育会議で学校図書館の充実がテーマになりました。同会議のプロジェクトチームには、現場の学校司書が入っていなかったために、市に要望したところ、ベテランの学校司書が加わることになりました。会議の

なかで実情と勤務時間の不足を説明する学校司書の発言には説得性があり、頼もしく思いながら傍聴しました。同会議では、各校の図書館をつなぐ支援室の設置等の施策が確認されました。

今後の課題としては、学校司書のいっそうの待遇改善と配本システムの整備等が挙げられます。どの子にも一番身近な図書館として機能するように、めざす学校図書館像をさらに磨いていきたいと考えています。

〈柔軟な想像力と広い視野をもつ図書館員に〉

魅力的な図書館員とは、まず目の前の利用者に真摯に対応し、利用者と資料との一期一会に立ち会うことをわが喜びとして、自らも成長する人ではないでしょうか。利用者のニーズに対して専門的なスキルと柔軟な想像力を働かせる図書館員の姿は、「図書館はこんなことまでしてくれた。また来てみよう」との信頼を呼び、時に利用者の潜在的な興味関心を掘り起こします。それには司書の資格をスタートにして経験を重ね、職場の内外に切磋琢磨する仲間をつくってスキルアップを図ると同時に、広い視野をもって地域の現状や自然・文化・歴史について学び続ける人であることが求められます。

このように利用者の期待と図書館サービスとがかみ合い、ともに高めていくキャッチボールが普段からなされることが大切だと思います。そのことによって、困った時や悩んだ時、心を休めたい時に自然に足が向く居場所になるのではないでしょうか。大きな災害が続いていますが、図書館が被災地区に出向くのも同様の理由であり、一番困っている人、弱っている人のかたわらに寄りそっていてほしいと切に思います。

次に、図書館・学校図書館と社会・行政を双方向から見る目をもつ図書館員であることを期待します。時には図書館の外へ飛び出していくことも必要でしょう。かつて私の身近には、地域を自転車で回る図書館長や学区を巡り歩く教頭先生がいました。周りの人たちと言葉を交わし、地域の雰囲気を感じるなかで、課題を発見できることがあるかもしれません。さらに、外へ出て大いに図書館のPRに努めてもらいたいと願っています。残念ながら図書館サービスについては、まだ十分に知られていない現状があるようです。図書館が情報基地としてあらゆる場面で役立つことや住民の交流の場にもなることを広める活

動は、図書館員の意欲が試されるところです。

　図書館員が自治体全体の政策を理解し、図書館・学校図書館の立ち位置を客観的に知って、他の部署と積極的にかかわることも必要ではないでしょうか。役所の業務で図書館を利用してもらったり、行政や学校のなかで図書館のPRを進めていったりすることが、専門職への理解や予算獲得への一助にもなるように思います。

　近年は多様性と包摂性のある社会の重要性が強調されていますが、それは図書館本来のあり方と一致しています。いつでも・どこでも・だれにでも、常に等しいサービスを提供するのは容易でなく、図書館員としての研鑽には終わりがありません。誰も経験したことのない高齢社会やAIが進展する情報社会の到来のなかで、文明の記憶装置と言われる図書館は複雑な未来を考える智恵の宝庫としていっそうの役割が期待されます。あらゆるメディア情報に精通する専門職の図書館員は、過去・現在・未来を結ぶ支え手であり、その重要性は高まるばかりでしょう。これからも図書館・学校図書館が信頼を増し、図書館員が誇り高く仕事に向き合えるように、精一杯の応援をしていきたいと思っています。

［Ⅱ］
図書館員の仕事とは

1 ｜ 司書の現況と取りまく環境の変化

塩見　昇

　都道府県・市区町村が設置する公立図書館は 2018 年 4 月現在、全国に 3277 館あります。10 年前には 3105 館、20 年前には 2495 館でしたので、この間、少しづつ増えてはいますが、増加が鈍化していることは明らかです。図書館サービスの最も基本的な指標である個人貸出冊数で見ると、それぞれ 6 億 8500 万冊、6 億 5600 万冊、4 億 5300 万冊で、20 年前からの伸びは大きいですが、詳細を見るとこの 10 年の間には 2011 年の 7 億 1600 万冊をピークにその後減少傾向が生まれ、この 10 年での伸びが微増にとどまっています。

　非常に大まかな数値の比較をあげましたが、このことだけからも図書館の設置や活動に大きく影響をもたらす社会変化が生まれているのでは、ということが推察されます。そのことはそこに働き、サービスを支える図書館職員（司書）の在り方にも大きな変化をもたらしているはずです。司書の現在の状況と図書館員の働きを紹介するこの章のはじめに、こうした変化を視野において、司書をめぐる現況を取り上げることにします。公立図書館を主に取り上げ、あわせてその他の図書館の職員をめぐる状況についても簡単に概説します。

▮▮▮ 公務員のなかの司書職とその倫理

　地方自治体が設置する公立図書館に働く司書は、原則としてその自治体の公務員です。

　都道府県・市区町村からなる地方公共団体（地方自治体）は、「住民の福祉の増進を図ることを基本として、地域における行政を自主的かつ総合的に実施する役割」を負っており、国との関係では「住民に身近な行政はできる限り地方公共団体にゆだねる」ことになっています（地方自治法第 1 条の 2）。それにもとづき、住民の日常の暮らしに直接かかわる多くの行政サービスは、自治体に

よって担われています。そのため、自治体には「全体の奉仕者として公共の利益のために勤務」する職員が雇用されています。

　自治体に雇用される公務員には、市役所や町役場で行政事務一般に従事する行政職員のほかに、教育や福祉、医療など所掌する業務の専門性に応じて、それぞれの領域についての専門的知識や技能を備えた職員を配備することになります。学校における教員や病院における医師、看護師、技師、保育所の保育士などがそれであり、法律や規則によって一定の要件（免許・資格）を備えた人を必ず置かねばならないと規定しているものもあります。そうした専門職員については、一般行政職員とは区別して選考、採用されることになります。それを職種と呼びます。

　図書館については、後に詳しく紹介しますように、「司書」という専門資格をもった職員によって担われることが望ましい教育機関であることは確かですが、必ず司書を置かねばならないと法定されているわけではないというあいまいさを残しています。図書館に司書を配置することを制度化している自治体であれば、そこには「司書」という職種が存在するわけです。

　司書が担う仕事は、ひとことで言えば、さまざまな資料や情報を収集し、使いやすいように組織化して、住民の多様な求めに対してその利用に供することです。人と資料をつなぐという職務に特化した公務員です。公務員一般に求められる資質、職責に加えて、このことで専門的職責が的確に果たせることが重要で、そこには独自な専門的力量と倫理が求められることになります。

　人と資料をつなぐ、それを私は「人と資料の確かな出会い」をつくり出す仕事と呼びたいと考えていますが、人が資料を必要とするのは日常の市民生活のなかでさまざまな場合が想定されます。図書館法はそれを「教養、調査研究、レクリエーション等に資するため」とまとめて表現しています。ここで「確かな出会い」と強調するのは、利用者が必要とするものを必ず提供することの約束です。それを職責として社会に示し、そのために努めることでそれを裏づけることが大切です。

　それを集約して述べているのが日本図書館協会の策定している「図書館の自由に関する宣言」と「図書館員の倫理綱領」の二つの文書です。宣言については先に紹介しましたが、基本的人権の一つである「知る自由を保障する」こと

が図書館の基本的な役割である、とうたい、それに徹した仕事をするためには、強い倫理性が求められるということで、倫理綱領を定めています。専門職と呼ばれる仕事には、その仕事に携わる人たちの手で、自主的に策定され、お互いをそれによって規制する統制力を備えていることが必要とされています。図書館の司書の場合、それは図書館法の第3条や自由の宣言を実践することですが、より具体的には、利用者を公平に扱い、差別をしないこと、プライバシーを守ること、資料についての研鑽に努めること、出版文化への理解と貢献、などを倫理綱領に掲げています。それらは公務員一般に求められる職業倫理に加えて、資料の確かな提供のために欠かせない司書に特有の倫理です。

　一例をあげておきましょう。市民が自分たちの暮らす地域の環境保全、まちづくり計画について考えるため、自治体の行政施策についての詳細を知り得る資料を地元の図書館に求めるというのはよくあることです。行政職員としては、首長の方針や施策にとって不都合な市民の求めに対して消極的な対応となることもありがちかもしれませんが、図書館司書としてとるべき対応は、「住民の求めに依拠」したものであることが重要です。図書館員の倫理綱領は、冒頭に「図書館員は、社会の期待と利用者の要求を基本的なよりどころとして職務を遂行する」とうたっています。それが図書館の専門家としての司書の責務でなければなりません。

📚 図書館の労働

　図書館員を志望する人のなかに、「本を読むことが好きで、あまり人づきあいが得手でないから」という人が時に見受けられます。「力仕事やきつい労働は不向きで」という人もあります。そこには、静かで落ち着いたデスクワークがイメージされているのかもしれません。本が好きで読書に関心の高いことは大事なことですが、人づきあいやハードな力仕事の不得手は図書館の仕事にとってマイナスの要素だということは承知しておいていただきたいことです。

　ここで図書館労働の特徴について考えてみたいと思います。まず一つには知的精神的な労働であるということです。老若男女さまざまな利用者から寄せられる資料要求をきちんと受け止め、それに対応する的確な資料を選び出し、提供するプロセスは、知的労働であり、精神的労働といってよいでしょう。利用

者の求めが何であるかを的確に把握することが重要であり、それには利用者が求める内容の背景をよく理解し、認識していなければなりません。世の中のカレントな動き、地域の課題、人々の暮らしに差し迫った問題、などに日ごろから注意を払い、ある程度の予備知識を備えていることは欠かせません。資料の提供には、自館の蔵書に精通していることは当然ですが、自館にない資料についても適切な資料を検索し、その所在を確認できることが必要です。日ごろから出版文化への幅広い関心、目配りが必要です。多様な分野、領域にわたって基本的な資料、重要な文献に精通していることが求められます。百科全般にわたって精通、というのはとても無理なことでしょうが、ある程度の基礎知識、常識が求められることは明らかです。これは新たな資料を収集・選択するさいにも必要だし、集めた資料を組織化する作業においても同様です。マニュアルやルールに従って、決められた内容を機械的に継続・反復する事務作業とは明らかに異なる、判断を求められる仕事です。

　先にも紹介したように、図書館の役割を社会に約束として示す原則として「図書館の自由に関する宣言」があり、そういう図書館の働きを実践する自律的規範としての「図書館員の倫理綱領」があります。どのような仕事であっても、その遂行に責任や規範があるのは当然ですが、そのことを自主的にこうした文書にまとめて社会に公表している仕事となると、公務労働のなかでも珍しいと言えましょう。その遂行には、一人ひとりの司書がというだけではなく、その図書館（職場）における図書館員全体、司書集団の組織的な連帯と相互研鑽が大切なことも言うまでもありません。そうした組織的な仕事というのも図書館労働の大きな特徴の一つです。

　図書館の仕事は一般的にみて、静かなデスクワークという印象を外部からもたれがちであるかもしれません。ところが実際には非常な肉体労働でもあるのです。本を運ぶのはなかなかのハードな作業です。返却された図書を棚に戻す場合を想定してみましょう。一冊の本は最も軽い文庫本で200グラム程度、単行本の小説で500グラム、子どもの本は600グラムくらいとすると、これらが一日に1000冊、2000冊となるとその重量は1トン前後にもなります。数千冊から1万冊以上が動く図書館も珍しくありません。それが毎日くり返されるのです。図書館員に腰痛が多いのはうなずけることです。

　不規則勤務が多いことも図書館の特徴です。土曜日、日曜日は最も利用が多く、休日開館も増えています。都市部では 19 時くらいまでの夜間開館は普通ですし、通年開館をうたい文句にする図書館も少なくありません。それに応じて職員の勤務は、時差出勤や二部交代制などかなり複雑で、不規則なものにならざるを得ません。女性が多い職場だというのも特徴です。

　資料管理、貸出返却にコンピュータの活用が常態化することで、VDT 作業の労働災害も適切な対応が求められる課題です。キーパンチャーのような長時間の単調な打鍵ではありませんが、利用が多いとカウンターで継続して端末機と向かい合うことになります。一冊ごとの図書について書誌データを作成する業務は、MARC の取りこみ、分類記号や件名の選択と記入など、図書の実物を見ながら典拠資料を駆使し、コンピュータに向き合うという作業で、眼への負担、疲労の激しいものです。

　図書館はけっこうハードな仕事だ、ということは覚悟しておいてほしいことです。

📚 司書職制度

　図書館法は図書館の仕事が専門的な職務であることを認め、その職務を担う職員を「司書・司書補」として規定し、当然、図書館には司書が配置されていることが必要だという考えを基礎にしています。しかし、図書館には必ず司書が配置されていなければならないと明示してはいません。そのこともあって、図書館界では図書館法の制定以来、一貫して司書の配置と専門職としての在り方を強める願いを共有し、その確立への運動を進めてきています。

　日本図書館協会の図書館員の問題委員会が 1974 年にまとめた「図書館員の専門性とは何か」の報告書において、めざす司書職制度の要件を次の 6 項目に整理しています。

- 自治体ごとに司書有資格者の採用制度が確立されていること
- 本人の意思を無視した他職への配転が行われないこと
- 一定の経験年数と能力査定（昇任試験）のもとに、司書独自の昇進の道が開かれていること
- 館長および他の司書業務の役職者も原則として司書有資格者であること

- 自主研修の必要性が確認され、個人・集団の双方にわたり研修制度が確立していること
- 司書その他の職員の適正数配置の基準が設けられていること

司書の採用のしかたについては章を改めて詳しく紹介しますが、この内容がほぼ達成されているといえる自治体は残念ながらごく一部に限られており、長年にわたってなお課題であり、達成すべき悲願にとどまっています。

この6項目のうちで、司書の配置ということを考えた場合、とりわけ重要なのは、図書館の専門的職務を担う職員として司書（補）有資格者を対象とした採用試験が実施されること、司書として採用した職員は原則として他の職場に転出させないこと、が常態化していることです。それによって図書館職員の専門性が職場に持続的、計画的に継承される基礎がつくられるからです。

図書館に司書の有資格者が配置されるためには、次のようなケースが考えられます。

①司書有資格者を対象とした採用試験が実施され、「司書」という職種を定めている場合（これが先述の司書職制度があるといえるものに近いです）。
②司書有資格者を対象とした採用試験を実施しているが、職名は一般職の場合
③人事配置のなかで、司書の資格を持つものを図書館に配置するようにしている場合

強弱の差はありますが、いずれも図書館には司書有資格者を配置した方がよいという考えはもっている自治体ということですが、約1800をかぞえる図書館設置自治体のうちでそれらがどの程度を占めるか、そのなかでの内訳についての正確な把握はできていません。

学校教員の場合ほどに毎年一定数の採用があるというわけでもないので、採用試験が流動的だという事情もありますが、むしろ近年、専門職種については自前での配置を極力抑制し、専門職を特別扱いしないようにする傾向が強まりつつあることが憂慮されます。自治体で専門職員を持続的に養成するという基本に照らすと、それに逆行するもので、問題が多いことは当然です。司書配置

がすべての図書館設置自治体に広がることを強く望みたいものです。

▮▮ 公立図書館の職員制度と実態

では公立図書館における図書館職員の配置はどのように推移し、どんな現況にあるのか、そのなかでの司書有資格者の占める比率がどうなっているかを見てみましょう。

この 40 年間ほどの職員数の変化をまとめたのが次表です。

◆ 公立図書館職員数の経年変化

年　度		1980	1990	2000	2005	2010	2015	2020
図書館総数		1,288	1,897	2,609	2,929	3,167	3,241	3,316
合計	専任職員数	9,067	13,242	15,171	14,199	12,034	10,485	9,627
	うち司書	4,404	6,750	7,590	7,039	6,152	5,481	5,096
	司書率	48.6	51.0	50.0	49.6	51.1	52.2	52.9
	非常勤・臨時	1,932	2,881	9,848	13,243	15,266	16,574	17,344
	委託・派遣	-	-	-	2,538	7,193	10,666	14,149
県立	専任職員数	2,050	2,064	1,975	1,826	1,623	1,530	1,474
	うち司書	1,209	1,267	1,197	1,104	942	892	878
	司書率	59.0	61.4	60.6	60.5	58.0	58.3	59.6
	非常勤・臨時	115	284	660	776	824	898	1,005
	委託・派遣	-	-	-	101	192	274	339
市区立	専任職員数	6,592	10,133	11,246	10,827	9,527	8,203	7,397
	うち司書	3,020	4,899	5,269	5,110	4,712	4,151	3,785
	司書率	45.8	48.3	46.9	47.2	49.5	50.6	51.2
	非常勤・臨時	777	2,095	6,854	10,109	12,644	13,675	14,106
	委託・派遣	-	-	-	2,073	6,661	9,855	12,998
町村立	専任職員数	425	1,045	1,950	1,546	854	752	701
	うち司書	175	584	1,124	825	498	478	402
	司書率	41.2	55.9	57.6	53.4	58.3	63.6	57.3
	非常勤・臨時	140	502	2,334	2,358	1,798	2,002	2,206
	委託・派遣	-	-	-	184	341	538	769

［注］　専任職員：フルタイム勤務の正職員
　　　　司書：司書、司書補の資格を有するもの（専任職員の内数）
　　　　司書率：専任職員のうち司書（補）資格を有する者の占める比率
　　　　臨時職員：非常勤職員、臨時職員、1995 年度以降は嘱託雇用者を含む。いずれも年間実働時間 1500 時間を 1 人として換算。
　　　　委託・派遣：自治体の直接雇用のほかに、受託会社・指定管理者等により派遣された職員。『日本の図書館』では 2003 年度以降に集計を始めた。
　　　　　　　　　　典拠　日本図書館協会調べ『日本の図書館』各年版

　全体を通覧して最も印象的な変化は、この間に近年鈍化しているとはいえ図書館数が増えているにもかかわらず、専任職員（正規採用の常勤職員）が激減していることです。これは異常なことだというほかありません。前半はまだ図書館の増加に合わせて増えていたのですが、1998 年の 15,429 人をピークにその後は毎年減少を続けています。図書館の数が増えているのに職員数が激減するというのは不可解なことですが、ここに職員をめぐる現在の最も大きな問題があります。正規職員の激減分をカバーしているのは非常勤・臨時職員、さらには外部からの委託・派遣職員の激増です。これは図書館だけに限られるわけではない、正規職員を減らし、その穴を非正規や外部委託で補うという現代の政治・財政政策が生み出した結果なのです。

　1980 年代以降、国の行財政改革、いわゆる構造改革路線による規制緩和、民間活力への依存という施策により、公務員の定数削減が国・自治体を通じてすさまじく進み、官製ワーキングプアと呼ばれる状況が大きな社会問題をもたらしています。民間企業を含めて日本の雇用労働者の 3 割以上が非正規雇用だという雇用の劣化がすっかり社会に定着していますが、図書館員の場合は 3 割どころか逆に 7 割以上が非正規や委託・派遣職員で占められ、マスコミがワーキングプアの状況を伝える際の典型職場として図書館が取り上げられることが定番になっています。

　職員の 7 割、8 割が非正規や委託・派遣職員で占められるということは、次項で取り上げるように、2003 年の地方自治法改正により指定管理者制度が導入され、図書館運営が民間企業を含む外部に委ねられるケースが徐々に広がってきたことによるところが大きいですが、自治体が直接運営している場合でも、人件費の削減で非正規・臨時職員でまかなうところが増えている結果です。職員数の少ない小規模な図書館、地域図書館では正規職員は 1 名だけでほかは非正規ばかり、極端な場合は全員が非正規職員だといった図書館さえも見られます。元来、非常勤や臨時職員は一時的な補完、補助的業務に従事するはずのものですが、図書館の基幹的業務をも担うことになっているのです。こうした職員配置の劣化が、図書館で働きたいと願う若い力を図書館事業に迎えることをとても難しくしていることは本当に残念で、遺憾なことです。

　前掲の表のなかで「委託・派遣」の欄が 2000 年まで空白になっているのは、

日本図書館協会が毎年実施している「日本の図書館」調査において、委託・派遣職員数を調査項目に組み込んだのが2003年からで、それ以前は調査していなかったためです。公立図書館の運営は自治体が自らの責任で、自前でやるのが当たり前、と考えられてきたことを前提としていたことの現れです。雇用の構造がこのあたりから激変したことを示しています。

　激増し、しかもその劣悪な雇用条件を改善する方策として、国は2018年に地方公務員の臨時・非正規職員を「会計年度任用職員」として再編する制度を発足させ、2020年に移行する「働き方改革」を標榜していますが、抜本的な「改革」となるのかどうか、注視が必要です。これは公立図書館だけでなく、次項に取り上げる非常勤職員が圧倒的に多数を占める学校図書館の司書にも大きく影響する動きです。

　正規職員が激減したなかで、そのなかに占める司書有資格者の割合は5割強程度で大きくは変わっていません。採用枠が少なくなったなかで、「司書」の採用そのものには大きな変化はなく、図書館には司書有資格者を配置するという施策は依然として弱いことがうかがえます。ただ皮肉なことに、非正規や外部からの派遣で働いている人の場合には、司書の資格をもつ人を特定して採用（受入れ）していることが多いため、その部分では有資格者の比率が高くなっているというのが現状です。新しく司書になるための進路がこの枠に依存しているというのは、なんとも辛い現実です。

管理運営の委託と指定管理者制度

　2003年から統計データが採られるようになった「委託・派遣」という職員枠が、21世紀になって急増しています。公立図書館の管理運営を設置自治体が自ら行うのではなく、第三者に委ねるという方式が増えている結果であり、業務の一部を外部に委ね、受託機関から派遣された職員が図書館に勤務しているという形が「派遣」です。

　地方自治体が「住民の福祉を増進する目的をもってその利用に供するための施設」を「公の施設」と称し、公立図書館もその一つです。地方自治法には1963年以来、「その設置目的を効果的に達成するため必要があると認めるとき」には公の施設の管理を公共的団体等に委託することができるという規定が存在

してきました。それによって、1980年代ごろから公立図書館にも財団委託といった方式の管理運営の事例がいくらか存在しましたが、2003年の法改正で委託する対象に民間企業までをも含む指定管理者制度が発足し、国が行財政改革、民間活力重用の政策を強く推進するようになり、集会施設や体育施設、福祉関係など公共サービスの多くの分野にこの制度が広がりました。

　図書館の場合は、他の施設にくらべると格段に導入は少ないのですが、それでも徐々に増えることで図書館設置団体の1割をかなり超えています。図書館法第17条によって、いかなる対価をも徴収してはならないと規定されていることで、サービスの対価で利益をあげることはもともと無理な事業ですから、受託団体が経費を節減しようとすれば、人件費を抑制するしかありません。受託企業に雇用される職員の処遇は劣悪にならざるを得ないわけで、日本図書館協会がこの制度は図書館にはなじまない、特に民間企業に委託することは避けるべきだと提言してきているのは当然です。

　この制度が始まってすでに相当の年数を重ねており、国もこの制度が図書館にはなじまないことを認めている状況ですが、財政的に厳しい事情を抱えた自治体の施策として、今もこの制度の導入は漸増しており、図書館の職員構成に問題を投じています。

　こうした職員配置の劣化の背景には、少子高齢化、総人口の減少という日本社会の人口構造の激変があり、それに対応する国家戦略があることは確かです。しかしそのための施策として、教育や文化、福祉の分野で公共サービスを貧しくし、サービスの最前線を最低賃金にも劣る処遇の非正規職員に委ねるというのは政治の貧困以外のなにものでもありません。言葉の正しい意味での「働き方改革」が国民の総意で進められることが必要です。

▮▮\ その他の館種の職員制度の実態

　ここまで公立図書館について職員の制度と現況を見てきました。以下では、公立以外の図書館の場合はどうかということを、簡単に紹介しておきます、職員問題の厳しさは、他の図書館についても基本的なところは共通しているといえるかと思います。

【学校図書館】

　司書としての進路を考える場合、学校図書館はこれから広がっていく可能性を多分に備えています。学校図書館には専門職員としての司書がほとんど不在であるという状況が長く続いたし、そこからの転換の方向が生まれてきているからです。

　小・中・高等学校の図書館を学校図書館と総称し、その在り方を規定しているのが学校図書館法です。1953 年に制定されたこの法は、「学校図書館の専門的職務を掌る」ものとして司書教諭の制度を定めました。ところが法の制定過程の紆余曲折があり、法定されたのは、教諭として学校に配備された人のうち、司書教諭の資格を持つ人を発令するという内容になってしまいました。もともと「学校図書館の専門職員」とはとても言えない存在でしかありません。しかもその司書教諭を「当分の間、置かないことができる」という附則がつき、それが長く存続することで、人がいない状態が 2003 年まで続きました。長期にわたって学校図書館は制度として人のいない図書館だったのです。

　もちろん人がいなくて図書館が運営できるわけがありませんので、学校設置者や教育現場のやりくりや工夫で図書館（図書室）の仕事に携わる人を置く努力が続けられてきました。それが「学校司書」と総称される人たちですが、制度的根拠のない職員配置ですので、どの学校にもということは無理があり、配置されてもその身分や処遇は非常に劣悪なものにとどまらざるを得ませんでした。

　こうした積年の課題の打開に向けて取り組まれてきたのが学校図書館法改正の運動であり、ようやく 1997 年、2014 年の二度にわたる法改正で、司書教諭の原則配置（12 学級以上の学校に発令）、そして「学校司書」という職名の法への明記が実現しました。

　2014 年の法改正によって、学校図書館に「学校司書」が「専ら学校図書館の職務に従事する職員」として「置くよう努めなければならない」、その職務が「専門的知識及び技能を必要とするものである」、というところまでが現在の法定内容です。必ず置かねばならないとは法定されず、その職務や身分が不分明で、学校教育の法体系への位置づけがなされていないので、ようやく緒についたばかりの段階にあり、学校図書館に司書が置かれることが好ましいとい

う方向が確認された、というのが現状です。制度が未整備な段階で、一部の自治体の努力、学校図書館で働く学校司書の実践と運動、地域における学校図書館の整備を願う住民の活動、が長年にわたって生み出した到達点を、法改正が追認したというのが現況であり、そこからの展開はすべてこれからに委ねられているというのが、学校図書館職員の現在です。

　では次に、学校図書館職員の現在の配置状況を、文部科学省が2年ごとに実施してきた全国調査の結果で見てみましょう。

◆ 学校図書館の職員（司書教諭・学校司書）配置状況

	学校数	12学級以上の学校数	司書教諭発令の学校数	学校司書		
				配置校（割合）	常勤職員	非常勤
小学校	19,197	11,008	10,920	13,202(68.8)	1,900	11,808
中学校	9,950	4,807	4,661	6,375(64.1)	1,123	5,554
高　校	4,886	3,901	3,636	3,079(63.0)	2,684	881

典拠　文部科学省「令和2年度学校図書館の現状に関する調査」（2020年5月調べ）国公私立学校の総計

　もともと法の第5条で規定されており、2003年以降、12学級以上の規模の学校に必置となった司書教諭については、9割以上に発令されているのは当然です。しかし資格をもった教員が「充て職」として発令されるだけですから、学校図書館の専門職員としてのはたらきを期待することは本来無理な人たちです。学校運営全体の中での理解と協力、当人の強い意志がともなってはじめて一定の役割が果たせる可能性はあり得ますが、「学校図書館職員」の現況を紹介するここではこれ以上の言及は割愛します。

　ようやく学校図書館法に明記された「学校司書」の現況を見ていきましょう。

　小学校で7割弱、中学・高校が6割強というのが学校司書の配置です。同じ文部科学省の2010年度調査では、小学校9612校(44.8%)、中学校4913校(46.2%)、高校3528校（69.4%）でしたので、小中学校で6年間に10%以上の伸びを示しており、学校司書の配置そのものはかなり急速に増えていることは明らかです（逆に、従前から司書の配置が進んでいた高校で減少していることは気になりますが）。学校数の多い義務教育学校において、法改正が有効に作用している

ことは確かだし、文科省の施策として、2012年度から地方財政措置に学校司書の配置経費を組みこんだことも影響していると言えましょう。先にこれからの司書の進路として、学校図書館が期待できる分野だと述べたのはこの動きに照らしてのことです。

　しかし大きな問題は、配置されている学校司書のほとんどが非常勤職だということです。

　国の施策がまったくない時期から、独自の判断で学校図書館に司書を公費で配置するように努めてきたごく一部の自治体においても、常勤職員が退職した後は非常勤に切りかえるしかなくなっているケースもあります。住民の強い要望で司書を配置しようとすると、その身分や処遇よりもまずは人がいるという状態を優先せざるを得ないという苦衷の判断を採る自治体もありそうです。その結果、かなり増えている学校司書もその内実を見ると、千差万別、まったく多様というほかない状況にあるのが現状です（p.119-120参照）。

　具体的には、司書もしくは司書教諭の資格を問うケースもあればまったく問わないケース、雇用に期限がある場合、名称も学校司書のほかに司書補助員、指導員、補助員など様々で、なかにはとても職員とはいえずボランティアに近いケースも見られます。こうした人たちを含めた総体がこの調査結果の6割強であるわけです。公立図書館と同様に外部委託や派遣という形態をとる自治体も出ています。

　そういう多様な「職員」で「教育課程の展開に寄与し、児童生徒の教養を育む」学校教育の一端を担う職務が果たせるのかどうか。とりあえずは人がいることがまず必要、人が置かれるようになって図書室が毎日開かれるようになった、綺麗で明るくなった、というレベルのことで、学校図書館の職員配置という判断を先行させてよいのかどうか。学校図書館職員の現況は厳しい内実を抱えて、「司書」とは、という基本的な問題を提起し続けています。

【大学図書館】

　短期大学、高専を含めて高等教育機関の図書館を大学図書館と総称します。そこでの職員の状況を見てみましょう。雇用のしくみについては次章で取り上げることになりますが，ここでも公立図書館と同様の傾向、いやむしろそれ以上

に図書館職員としてのありようは劣化しており、深刻だと言わざるを得ません。

　まず全体の配置状況のデータを見てください。

◆ 大学（短大・高専）図書館職員の現況

	図書館数	専従職員	兼務職員	非常勤職員	臨時職員	派遣職員等
国立大学	288	1,469	256	1,259	243	181
公立大学	137	253	162	313	101	224
私立大学	1,014	2,325	937	949	887	3,816
大学総計	1,439	4,047	1,355	2,521	1,231	4,221
短期大学	170	166	156	62	39	60
高　　専	61	59	108	84	34	13

　典拠　『日本の図書館』2020 年版　日本図書館協会。2020 年 5 月現在の調べ

　国公立大学に独立行政法人化が導入された 2004 年 4 月以降、大学の管理運営に大きな変化が生まれ、図書館もその影響をまぬがれませんでした。国立大学ではそれ以前の国家公務員Ⅱ種の採用試験がブロック別の同種試験で継続されたため、図書館職員の構成も定員削減の範囲でとどまっていますが、公立大学には公立図書館と同様の外部化が進み、私立大学ではほとんど大学図書館員という制度が崩壊したと言っても過言ではありません。専従職員（正規職員）と非常勤、委託、派遣職員との比率にそれが明らかです。

　大学図書館員の総体を経年変化で確認すると、今では専従職員は全体の 3 分の 1 になっており、1990 年と比べると半減しています。2010 年代以降は、大学が自ら雇用する臨時職員も減少に転じ、外部化が激増しています。

◆ 4 年制大学における図書館職員数の経年変化

	1990	1995	2000	2005	2010	2015	2020
専従職員	7,926	8,087	7,575	6,379	5,223	4,539	4,047
非常勤・臨時	3,211	4,098	4,497	4,401	4,500	4,318	3,752
派遣職員等	-	-	-	2,244	2,778	3,674	4,221

　典拠　『日本の図書館』各年版

特に私立大学でそれが顕著で、ほとんどの私立大学の図書館では図書館員を特定した配置がなくなっている状況です。これでは大学図書館としての専門的サービスの持続的な継承・発展は望むべくもありません。司書養成課程を開講している私立大学で、自学の図書館に図書館員として専任の司書を正規職員で配置することをしないというのは、大きな矛盾であり、説明がつかないのではないでしょうか。大学図書館は「学術研究・教育の中核的基盤」(学術審議会答申)だという認識との乖離は大きな問題です。

【専門図書館】

それぞれに独自の目的をもって設立される団体・機関を母体(親機関)とし、その目的に奉仕するため設置され、その結果として専ら特定主題に限定した資料・情報を収集・整理・保存し、主としてその構成員の利用に供する図書館を専門図書館と総称しています。その内容は実に多様で、専門図書館の全国組織である専門図書館協議会が3年に1回刊行している『専門情報機関総覧』2018年版を見ると、次のような区分で1,645機関が収録されています。専門図書館の総数となるととても把握できません。

国・政府関係機関・独立行政法人	149
地方議会・地方自治体	142
公立図書館	128
大学・付属研究所	495
病院・医療センター	23
公益社団・公益財団・一般社団・一般財団	177
学会・協会・団体	52
民間企業体	115
国際機関・外国政府機関	13
美術館・博物館・資(史)料館	304
公文書館	27
その他	29

　ここに公立図書館や大学（図書館）が入っているのは、そのなかに含まれる特定分野・主題のコレクション部門が独自に加入しているためです。いずれも図書館としてはそれほど大規模なものではなく、『総覧』に収録されている図書館の4割強で専任スタッフがゼロまたは2名以下というものです。スタッフが所持していることが望ましい専門資格・試験としては司書資格が圧倒的に多く、ほかに情報検索能力試験、IT技術、語学検定などが挙がっています。

　多くの場合、図書館の職員として採用し配置されているよりは、親機関のスタッフとして入職し、図書館（名称も資料室、調査室、情報センターなど多様です）に配属されているのが通常です。専門図書館協議会や同種の図書館相互の研究集会、研修会などでスタッフの養成、育成が図られています。

【国立国会図書館】

　わが国で最大規模の図書館であり、国会の立法活動を支援する役割と、国立中央図書館としての役割をあわせもつ国立国会図書館（関西館、国際子ども図書館を含む）には職員定数888人の職員とその他非常勤職員が勤務しています。身分は国会職員です。その他に各省庁、最高裁判所にも図書館があり、国立国会図書館の支部図書館という位置づけをされていますが、職員制度上は別になっています。

　長く東京本館一館で活動してきましたが、2002年10月に関西文化学術都市（京都府精華町）に関西館が設置されたことで、勤務場所が東京だけではなく関西にも、となっています。国際子ども図書館を含めた3館の間での人事異動が定例的に行われています。

　後述するように、ここでは独自の採用試験が実施されていますが、司書の資格の有無は問われません。職名としての司書は使われていますが、図書館法に規定する司書ではありません。

2 | 実践を生みだす司書たち

▍ひと言では括れない多様な現場・公共図書館
──まだまだ続く魅力発掘

鈴木　崇文

〈そもそも求められている図書館員とは〉

偶然の重なりで私が図書館で働くようになり、15年が経とうとしています。子どものころは必ずしも本好きとは言えず、ましてや図書館への就職を意識する以前は、図書館という静謐で利用ルールが難しそうな場所を苦手としていた者として、偶然の出会いに感謝するとともに不思議な思いもしています。

しかし、ランガナタンの「図書館学の五原則」では、「全ての人に本を」「全ての本は読者を持つ」と、図書館は、その利用者も資料も限定することなく、この世のすべてのためにある学習の促進と学習を共有する仕組みであることがうたわれています。顕在的にも潜在的にも利用者は列挙できないほど多様、現代に限定しても資料も多様、とすれば、手前味噌な解釈が許されるのであれば、どのようなタイプの人でも図書館員に向いている、いや、一見向いていないようでいても、実は図書館という場所に求められていない働き手はいない、と言えるのではないでしょうか。何かのきっかけで図書館に関心をもったみなさんすべてが図書館の重要な働き手なのです。

〈ひと言では括れない多様な現場〉

私がこれまで図書館員として体験した業務は、分館での児童サービスとその他のサービス（一般サービス）など決して幅広いものではありません。しかし、同じ自治体内における限られた現場においてさえ、図書館施設も、接する市民の方々もひと言ではまとめられないと強く感じます。

例えば、建物に関しては、立地・築年数（個人住宅より目立ちやすい公共施

設の老朽化）・階数（路面店とビルの上階では商売の仕方が違う）・床面積・複合施設であれば相手施設・壁面の量（書架の量より、壁面の量がいかに大切か）・冷暖房設備（室内温度でこんなに苦しむとは就職前は予想外！）・日当たり（光を求めて、日差しを恐れる）等々、自治体における建築基準を共有しながらも各館の内情は結構異なります。これに加え、地域住民（例えば、人口、平均年齢、高齢化率）の違い、周辺施設（例えば、どのようなタイプの学校や福祉施設があるのか、マンションや工場の立地）の違いなどが同時に入り混じっているのが現場。自ずと各図書館の雰囲気は違ったものとなります。

　諸規則やマニュアル、上司や同僚の意見、自らの体験を基にしながら、その時にその現場が必要としていることを実現できるよう工夫と改善が求められます。また同じ現場であっても、数年が経過することで課題は変化してしまうのです。また、各図書館では、立地により市への合併までの歴史や過去に発生した災害も異なります。地域が本来持っている記憶の違いもサービスに直接は目に見えないかたちで影響すると考えます。

　さらに、図書館全体では、例えばオンラインシステムや目録の管理、自動車図書館、障害者サービス、施設管理などの仕事が相互に支え合っています。月並みな表現ですが、ステレオタイプな図書館や同じ図書館は一つもありません。偉そうなことはまったく言えませんが、できるだけ自らの五感を使って目の前で発生している事態を観察し、その現場が顕在的・潜在的に求めている仕事を進めることが大切だと現在考えています。

〈見習うべきところは町なか、日常の生活〉

　図書館の仕事は、多岐に渡り、図書館員として準備すべきことや学習すべきことがたくさんあります。日々の業務、雑誌、オンライン情報、図書、研修などで図書館のことを学んでも恥ずかしながら必要な情報を把握できないほどです。しかし、あわせて欠かせないのが日常生活者の視点です。冒頭、かつて図書館を「静謐で利用ルールが難しそうな場所」と感じていたと記しましたが、とりわけまちなかの図書館は、普通の人が普通に利用できてこそはじめてその力を発揮する場所です。図書館への心理的な垣根は低ければ低いほどよい訳です。ややもすると図書館員は（図書館員に限らず職業人全体でしょうか）、自

ら設定したルールに忠実に、そのルールの具現化を図ろうと努力しがちです。多数の市民の利害を調整しながら不都合少なくサービスを提供するためのルールですからやむを得ないところがあるのは確かです。例えば、資料の提供と保存の両立を図る、話題分野の図書を目立たせつつ WEB OPAC でも表示される本来の請求記号（配架場所）を尊重する、高齢の方でも少しの力で本を引きだせるように配架しつつスピーディーな配架が大切、など一見相反することを同時に満たさなければならないことがたくさんあります。

　このようななか、より利用バリアを低くするヒントを得るには、市民になじみの深い場所で私たちも生活者としてお金を使うのが一番です。スーパーマーケットやコンビニエンスストア、食堂、お菓子屋さんやパン屋さんの店頭は、狭義の図書館テキスト以上にヒントがつまっています。旬の食材を並べておすすめ商品を前面に立てる意欲、高齢の方への気遣い（最近はミニサイズでの提供も増加）、醤油刺しや割りばし箱の並べ方など、管理する商品数が図書館の資料数ほど多くないとは言え、実際に親しまれるサービスを目の前で教えてくれる貴重な場所です。

　また、いくつもエッセイを残している女優・沢村貞子は『わたしの献立日記』（新潮社）のなかで、母親から教えられたご飯の茶碗へのよそい方を「すこうしずつ、そっとだよ」と表現しています。「ご飯も酸素をたっぷり吸うと、ぐっと味がよくなるらしい」と。書架を整頓するとき、私は「すこうしずつ、そっと」と心のなかでつぶやいています。開架の書架は倉庫ではなく、誰もが接する棚です。普段使いの図書館は、高級でなくとも、気持ちが和み日々の営みが肯定されるような丁寧な料理のようでありたい、と考えています。

　誰もが何かを学びたい、知りたいと思っているはずですが、その思いを表に出せるか出せないか、またそれが表に出るまでの距離や時間は、人により千差万別です。場合によっては、自らが知りたいと思っていることにさえ気づいていないかもしれません。ですから、図書館では、チラシ配りや口コミの活用、駅のポスター、館内ディスプレイを含めてさまざまなしかけを通じて、その思いと図書館の存在、さらに図書館にいる相談員（代表例が司書）の存在に気づいてもらう必要があります。いつもとは異なるしかけが有効かもしれない、今度は新しい方法を試してみようなどと気づくのは、もちろん勤務先のこともあ

りますが、スーパーマーケットの店頭や、旅先であることもあります。時には職場を離れることも有効かもしれません。

〈いたるところにきっかけが〉

　先ほど、同じ図書館でも時間の経過で課題が変化すると記しました。以前のある勤務館は地域の人口構造を反映し乳幼児の利用者比率がとても高い図書館でした。必然として、絵本の購入費を増やし、おはなし会にも力を入れていました。年数が経過し、依然乳幼児利用比率は高いのですが、想定以上に出生数が減少し、その一方で高齢者が目立つようになります。そこで引き続き児童サービスには力を入れつつ、高齢者向けのサービス（具体的には、音読セミナー・歌声セミナー）も試行実施してみました。図書館には多数の著作権保護期間の切れたテキストや歌詞があります。素晴らしい文化遺産ですが、このままでは読みにくく、老眼もある高齢者には取りつきにくいものです。これを読みやすいかたちに加工し、解説も加えて提供するのは図書館の楽しい仕事です。参加した方からの声を出して文章を読んだり、歌を歌ったりする体験への喜び、体が活き活きした、このような機会を求めていた、との感想に、普段表に見えにくい、しかし確実にみなさんがもっている学びへの意欲にこちらが勇気づけられました。別の方々もタイプは異なるものの、当然この意欲をもっているに違いありません。図書館の実情に応じてさまざまなバリエーションで実施できると思います。

〈一人でできることは限られている〉

　図書館は個人商店ではありません。一代限りでも一子相伝でもなく、先人の仕事と資料の蓄積の上に、現在と将来の市民のために変化しながら持続が求められます。先にも記したように職員が分担して業務を進めます。外部との折衝を進める管理職の役割も重要です。各職員は、担当分野とともに個性や得意・不得意分野をもち、補い合いながら仕事をしている訳です（ここまで書いてきて、私の頭のなかには自らの不得意分野が吊り看板のようにたくさんぶら下がってきてしまいました）。

　現在、図書館では業務のアウトソーシングが進み、民間業務委託、指定管理

64

者制度が導入されています。自治体により状況は異なりますが、例えば公務員の司書であれば、以前に増して年齢を問わず相当の判断を求められる場面が増えているはずです。このあたりは私の採用のころとは異なっていると思います。これは公務員の司書に限らず、民間事業者においても同様ではないでしょうか。図書館の働き手の問題は、大きな課題です。

　そもそも図書館は、市民の学習機関であり、図書館員は図書館運営の事務局です。事務局員が引き続き重要な役割を担ってゆくことは間違いないはずですが、今後はより市民の図書館運営への参加が進むはずです。職に就いて約15年、当初は想像もつきませんでしたが、多数の市民に協力いただくとともに、意見を交換する過程でこれら多くの方が本質的に図書館に期待しているのを実感し、重い責任を感じると同時に希望を厚くしたことがたびたびあります。市民も職員も図書館の将来像をともに議論し、これからの日本が求めている図書館像を描き、少しでも実現できるよう努力をすることが必要だと考えます。私自身は失敗も多く迷惑をかけていますが、このほんの一部分でも担う機会を体験できるとすれば、限られた人生、とても恵まれています。最後になりますが、新しい時代を拓くみなさんの個性と感度に期待しています。

📚 子どもに図書館を身近に感じてもらうために
──いろいろな仕事を児童サービスにつなげて

島津　芳枝

　学生時代、国立国会図書館の採用試験の倍率は100倍だと知り、司書採用をあきらめていました。しかし、大学を卒業する2年前に、母から地元に図書館ができること、司書採用があることを聞き、司書講習を受講し、採用試験を受けて合格し、児童担当となりました。

　県内の市では唯一公共図書館が無く、学校司書もいなかったので、子どもたちは図書館の使い方を知りません。移動図書館で学校へ行くと、子どもたちは親切で本やカードを友だちに貸し、トラブルになり、親から図書館の利用を禁止される子もいました。そのため、学校に出向いて新一年生に対する図書館の

利用案内を行うことにしました。

　開館から20年経った現在も、紙芝居にちなんだ魔女の格好で、子どもたちとマナーについて学び、人気がある本や予約の方法を紹介しています。借りられる本などの点数をすべて見せて「一枚のカードでこんなにたくさん借りられるよ。しかも無料で」と言うと、「図書館に行きたい！」という気持ちになるようです。最近はカードの貸し借りによるトラブルもほとんどなくなり、ほぼ全校から利用案内の時間を作ってもらえるようになりました。カウンターやフロアで、時々一年生から「わたしのこと、おぼえてる？」と声を掛けられることもあります。とても嬉しい時間です。

　しかし、個々の子どもと仲良くなることが、全体の環境整備よりも重要でしょうか。「家には本が一冊もないから、借りられてうれしい」という手紙をもらったことから、その思いは強くなりました。読み聞かせボランティアの提案から、子育て支援課が出生時の本のプレゼントをしてくれるようになり、子育てのクーポンで本が買えるようになりました。選定には図書館が協力し「家に一冊も本がない」状況は少なくなったように思います。検診時の読み聞かせにも協力しています。本を読んでもらった経験をすべての子どもに。そして、何かの時に図書館も思い出してほしいと思います。

　IT教育が盛んな現在ですが、授業で本の活用も勧められています。教職員が閉館直前に「○○の本、ないですか？」と駆け込むこともあったため、学校の教職員向けの業務支援レファレンスをFAXで受け付けています。簡単なレファレンスであれば、朝送信してもらえれば昼休みまでにブックリストをつくって学校へ送信します。準備してほしい本に○をつけて図書館に返送してもらえれば、放課後には教職員のカードで予約をして準備します。

　もちろん、1週間程度の時間があれば、本の取り寄せも含めて対応できますが、多くは「今日中」という期限が多いようです。月末整理日には学校司書とも合同で研修するようにし、市民図書館にどんな資料があるか、県立図書館などの研修成果を学校司書とも共有し、情報が学校に届きやすくします。本が、子どもにも大人にもちゃんと利用されるための環境整備が必要です。

〈地元の産業の情報をわかりやすく　6次産業の前に〉

　仕事をしている人（納税者）に図書館を認識してほしい。勤務する図書館にはギャラリーがあるので、どうにか活用できないだろうかと思っていた時、市役所の横断的なプロジェクトに参加しました。地元の企業を取材し、宇佐の産業である「麦」をPRする企画展示や小学校での麦の栽培などを行いたいと提案しました。

　予算獲得には市長の前でのプレゼンでA判定が必要だったため、ビジネス支援図書館推進協議会の講習を受講し、生まれてはじめてのプレゼンを行いました。麦の生産地であり、麦焼酎出荷量日本一であることなど、6次産業という言葉が広まる前に「1次2次3次産業が揃っている」とアピールし、「ストーリーがある」と好評だったため、自信をもってプレゼンに臨むことができ、A判定を獲得しました。

　企画展はビジネスレファレンスを行うつもりで統計資料を集め、商工会議所にも協力していただきました。企画展で展示した産品の売り上げが伸びた企業もあったようです。企画展を見た地元企業が「麦が好きな子どもを育てたい」と農政課と協力して「麦の学校」という事業につながり、事業実施校でのブックトークや、麦のスケッチを図書館で展示することにもつながりました。講演が縁で、永井郁子先生のイラストを使った『わかったさんとわかる宇佐七麦物語』という冊子も生まれました。

　その後ビジネス図書館推進協議会で開催されたビジネスレファレンスコンクールでは、グループで入賞し、頑張れば全国レベルのレファレンスに対応できると感じました。しかし、職員は入れ替わるため、館内研修ではインターネットを使わないレファレンス研修も実施しています。

〈図書館員のつながりから生まれるもの　おんせん県の前に〉

　私が現在所属する図書館の団体は、日本図書館協会と、図書館問題研究会と、ビジネス支援図書館推進協議会です。図書館の団体に所属すると、MLが送られてきます。そのなかで群馬県草津市と愛媛県立図書館が地元のJクラブの対戦を「図書館で温泉ダービー（日本一の温泉地をホームにもつサッカーチーム同士の戦い）」として応援しようと、互いの館で観光交換展示を行っているこ

とを知りました。大分県人としては黙っていられず「温泉日本一は大分県です！」と「図書館で温泉ダービー」に参戦しました。

　大分県、別府市、由布市のどれかが参加すれば「日本一の温泉地」の名目が立つため、県内の館長会議で提案し、了承を得ました。各地からポスターやパンフレットを集めて展示し、別府市だけではなく別府大学の参加も得ました。大学からの協力があったのは、大分県だけでした。館内展示では観光パンフやポスターボードに掲示して「どちらの観光ポスターが良いか」と来館者に投票してもらいました。一度はクラブチームや観光協会等の協力も得て、試合会場であるスタジアムでの展示や温泉入浴券などの抽選会も行いました。大分県が「おんせん県」と名乗る前でしたが、選手がいなくても、1000人以上の参加がありました。その後も佐賀、長崎、長野、山形、鳥取などさまざまな地域と交換展示を行いました。その事例を発表しないかと声がかかり、「図書館海援隊サッカー部」として第14回図書館総合展でプレゼンを行うことになりました。200人ほど入るホールでの事例発表は初めてでしたが、図書館が、その気にさえなればさまざまなところと連携できると示すことができたのではと思います。また、温泉ダービーで大分トリニータが優勝した時には、地元のアーティストのご協力で、ステンレスでできたトロフィーをプレゼントすることができました。大分トリニータは選手の育成に定評があり、宇佐市の出身者を3名プロ選手に育て、2名は日本代表に選ばれています。トリニータに少しはお返しできたとしたら、嬉しいです。

〈図書館海援隊と医療健康情報コーナー〉

　2010年1月、有志の図書館が「図書館海援隊」を結成し、ハローワーク等関係部局と連携した貧困・困窮者支援をはじめ、具体的な地域の課題解決に資する取組を開始しました。その後、この取組に対し、他の図書館からも参加希望が寄せられ、それにともなって、医療・健康、福祉、法務等に関する役立つ支援・情報の提供やJリーグと連携した取組など、分野も拡大されました。闘病記文庫や法情報コーナーを設置する図書館があるなかで、日本医学図書館協会や、大学図書館・病院図書館の医学司書さんの活動を知りました。

　当時、同規模自治体と比べて医療費が1億円高い、という課題があったため、

「住民生活に光を注ぐ交付金」により、闘病記の病名分類に沿った医学書・実用書・闘病記をそろえた「医療・健康情報コーナー」を開設し、病院の医学図書室の司書・大学図書室の司書の方による「医療健康情報調べ方講座」も開催しました。保健師と相談して、市民に関心が高い、がんや認知症などに関する情報について話していただくことにしました。職員のなかにも「家族ががんになったけれど、どう調べればよいか分からなかった」という想いをもつ人もいました。

　ヘルスサイエンス情報専門員の司書によるデータベースの調べ方は、病気の患者や家族の情報検索ニーズに応えるものでした。病院図書室司書の方のお話は、こどもに健康に関する情報を伝えること……正しい情報が子どもの未来を守る、というものでした。

〈学校や放課後にブックトーク〉

　開館当初から、学校へブックトークに出向いていました。授業に関するテーマもありましたが、多くは、遠足前の動物園や水族館に関するブックトークです。学校図書館に比べて、公共図書館ではブックトークは活発ではありません。たまたま、県の社会教育課の担当者が私が行った学校でのブックトークを見学する機会がありました。その後図書館関係者としてはじめて県の社会教育委員になり、5年間、県の社会教育に対する提言などをさせていただきました。

　2014年の学校図書館法改正以降、学校司書の配置が進み、授業でブックトークをする機会は減りましたが、学校司書では対応が難しいテーマもあります。学校図書館では蔵書が少ない、食育や生活習慣改善に関するテーマです。生活習慣改善に関しては、学校の教諭から相談があり、食育に関しては保護者の方から学校での取り組みとして相談されたものです。JICAでアフリカに行っていた妹（保育士）から「親が正しい知識をもっていなかったために死んでしまった、受けもちの子どもが」との話を聞いたこともあり、「子どもに正しい情報をわかりやすく伝える」ため、保健師にも相談しながらブックトークを組み立てました。その後、2018年度の県PTA指定発表研究会で食育のブックトークをすることにもなりました。現在は、放課後のチャレンジ教室などでブックトークをすることも増えています。

〈本・情報と付加価値〉

　物語も絵本も、インターネット上で見ることができます。情報も調べることができます。ですが、インターネット上の情報は、いつ消えるかわからないものもあります。

　図書館で、司書として、残すこと、伝えるべきことは何かということを、今まで以上に考えなくてはならないでしょう。例えば、情報リテラシー。例えば、地域の歴史。例えば、庁舎内の連携。例えば、読み聞かせをすることで伝わる何か。

　それらを、他の図書館や司書の活動とつながることで、情報として取り入れ、勤務館や利用者へのサービスとして還元することを、いっそう進める必要があります。みなさんの今後に期待しています。

📚 知を伝え、知を結び、知を開く：大学図書館員の仕事

赤澤　久弥

　私が大学図書館員になったのは、ちょうどこの本の初版が出版されたころです。まだパソコンやインターネットが一般的になり始めたばかりで、電子ジャーナルや電子ブックは存在せず、図書館にある雑誌や図書などの資料はすべて冊子でした。図書館に来れば蔵書検索は使えましたが、オンラインデータベースは気軽に検索できるものではありませんでした。ラーニング・コモンズはありませんでしたから、一人で勉強するのが図書館の一般的な使い方だったと思います。もちろん、今やほとんどの大学にある機関リポジトリなど想像もできませんでした。

　デジタル化やネットワーク化、そして大学の変化の波を受けて、大学図書館の姿は変わり続けています。読者の皆さんが図書館員になっているころ、大学図書館はどのような姿をしているのでしょうか。ともあれ、昔語りはこのくらいにして、私の働いている大学図書館の現在の仕事をご紹介しながら、みなさんといっしょに、これからの大学図書館員の姿も考えたいと思います。

〈知を伝える〉

　私が大学図書館員として、はじめて担当したのは図書の目録データをつくることでした。いわば裏方の仕事ですが、その図書を蔵書検索で見つけた誰かに使ってもらえるだろうことにやりがいを感じたのを覚えています。大学図書館は、所蔵する資料の情報を作成して公開するとともに、図書館の間で協力しあって、教員や学生が必要とする図書を貸し借りしたり複写物を送ったりしています。時には、国内で手に入らない資料を海外の図書館員とやり取りして、取り寄せることも珍しくありません。このように資料の形になった知を共有し、広く伝えていくことは、私たちの仕事です。

　一方、ここ 20 年ほどで大学図書館の扱う資料のデジタル化は急激に進みました。雑誌の多くは電子ジャーナルになり、電子ブックも一般的になっています。とはいえ、紙の資料も相変わらず出版されています。そのため、冊子であれネットワーク上の資料であれ必要とされる資料を収集し、それらを等しく探しだせる検索システムを用意することが求められます。

　また、私の働く図書館では、国宝や重要文化財のような貴重な古典籍類も所蔵しています。デジタル情報が遍在する時代において、オリジナルの資料を所蔵していることは、図書館の存在意義の一つです。デジタル化された最新の知を扱いながら、残すべき資料や情報を選別し、同時に何百年を越えてきたいにしえの知を後世に伝えていく私たちの仕事は、これからも変わりません。

〈知を結ぶ〉

　大学図書館の扱う資料が多様化するなか、オンラインデータベースの利用講習会を催したり、資料の入手ガイドをつくったりして、効率的な資料や情報の探し方を伝えるのも私たちの仕事です。また、京都大学では、大学図書館や情報の活用法を扱う一般教養科目の授業を教員と図書館員が連携して行っています。この授業が始まって 20 年近く経つ今でも、よりよい授業にしていくための課題はつきません。今後、検索手段がより便利になれば、私たちがその使い方を教える必要はなくなるかもしれません。しかし、大学の重要な役割の一つは教育です。そこで、大学図書館が教育という人と知を結ぶ営みにかかわっていくことは、いっそう重要になっていくでしょう。

　従来、図書館が行ってきたレファレンスサービスも、図書館が扱う知と利用者を結ぶ仕事と言えます。もっとも、大学院生や教員ともなると専門分野に関する知識は、図書館員の及ぶところではありません。しかし、どうやったら必要な資料や情報にたどりつけるのかを見つけるのは私たちの得意とするところです。さらに、相手とその背景にある学問に興味をもって対応すれば、キャンパスで挨拶を交わすような信頼関係につながることもあります。

　そして、場としての大学図書館の役割も忘れてはなりません。近年、大学図書館では、学習を重視する大学のあり方の変化を背景にして、ラーニング・コモンズを設置することが一般的になっています。ラーニング・コモンズを使っている学生に、ここに来る理由を尋ねたところ、「おしゃべりするだけでなく勉強をする気持ちになる」と教えてくれました。知が集積された図書館には人を学びに導く力があります。そこでの学びあいを通してお互いの知を結びあう、そうした大学ならではの場所をつくり出し演出していくのも私たちの仕事です。

〈知を開く〉

　電子ジャーナルの隆盛とともに、大学図書館はその価格高騰に頭を悩ませるようになりました。大学図書館と海外の出版社との間で価格交渉をしていますが、一筋縄ではいきません。大学の教員、つまり研究者があらたな知を生み出すことも、大学の重要な役割です。その知を伝える論文を掲載した雑誌が購読できなくなっては、知の循環が成り立ちません。そこで、大学図書館は、機関リポジトリという仕組みを構築して、大学の研究成果である論文をインターネット上に公開するようになりました。

　こうしたなか、京都大学ではオープンアクセス方針を策定し、研究者に機関リポジトリによる論文の公開を求めています。このような取り組みには、研究者の理解と協力が欠かせません。そのためには、私たちが研究者の考え方や行動を理解し、信頼をえたうえで、一緒に新たな知の共有のあり方を構築していくことが必要となっています。また、教育と研究と並ぶ大学の役割は、生み出した知を社会に提供していくことです。大学図書館は、デジタル化とネットワーク化の波を受けた結果、機関リポジトリを通じて大学の知を大学の外に開いていくという役割をも担うようになったわけです。

　さらに近年、大学図書館は、論文だけではなくその源となる研究データについても、オープンにし活用していく、オープンサイエンスという活動に取り組もうとしています。そして、理系分野のデータのみならず、大学図書館が所蔵する古典籍などを画像データにして、インターネット上で流通させていくデジタルアーカイブも、こうした取り組みの一つです。こうして、知の源であるデータをも開いていくことによって、さらに新たな知を拓くサポートをすることも、私たちの仕事になろうとしています。

〈大学図書館員の仕事とは〉

　ここまで、私の経験を例にしながら、大学図書館員の仕事を紹介してきました。しかし、大学の規模や分野、また研究と教育のいずれを重視するかによっても、大学図書館のあり方はさまざまです。とはいえ、大学の教育や研究、社会への貢献といった役割に寄りそうという点で、大学図書館員の仕事に変わるところはありません。

　なお、ひとくちに大学図書館員といっても、その身分や位置づけは一様ではありません。大学の常勤職員として働いている人、そのうえで図書館員として働く人がいます。また、非常勤職員や派遣会社の社員といった立場で、大学図書館で働く人もいます。現在、国立大学図書館の常勤職員は、普通は異動先でも図書館の仕事をしますが、私立大学の場合、大学図書館も学内での異動先の一つであることが一般的です。働き方のスタイルが多様化していくなか、自身がどのような立ち位置で大学図書館にかかわるのかは考えておくべきことと思います。

　そのうえで、大学図書館員に求められることはなんでしょうか。まず、大学図書館員としての知識と経験をもったうえで、同じ大学の職員と協働することです。例えば、教育支援なら教務部門、資料購入なら財務部門、情報システムなら情報部門など、大学図書館は多くの大学の仕事とともにあります。次に、大学の主役である学生や研究者を支える裏方の仕事にやりがいを感じられることです。その時に自分が学生だったときのことを忘れず、また研究活動を理解できる大学図書館員であろうとすることは、きっと力になるでしょう。そして、図書館員という職種のつながりを大事にしたうえで、図書館の世界のなかに閉

じこもらないことです。大学を取り巻く社会の動きや大学自体のあり方、出版や情報技術など学術情報にかかわる領域に関心をもち続けることは、これからの大学図書館を考えていくうえで必要です。

　さて、これからも大学図書館のあり方は変わり続けていくでしょう。しかし、知を伝え、知と人を結び、知を開いていくという本質的な役割は変わらないはずです。そのなかで、学生や研究者など多くの人とかかわりながら、国内外はもとより、過去から未来に渡る知の営みを支える大学図書館員の仕事は魅力的ではないでしょうか。これからの大学図書館を皆さんと一緒につくり上げていくことを楽しみにしています。

📖 学校司書の仕事 5W1H

松田　ユリ子

〈Why：学校図書館はなぜあるんですか？〉

　日本では学校図書館は「学校図書館法」に則り、学校教育を充実することを目的に、すべての学校に設置されている施設です（「第3条　学校には、学校図書館を設けなければならない」）[1]。当然、学校のすべての生徒と、生徒を支える教職員が利用できるように運営されなければなりません。条文には、学校教育を充実するための方法として、資料の収集と分類配列および目録整備の他に、「読書会、研究会、鑑賞会、資料展示会等を行うこと」（第4条3）、「他の学校の学校図書館、図書館、博物館、公民館等と緊密に連絡し、及び協力すること」（第5条5）が明記されています。どちらの条項でも「等」が重要です。それぞれの学校の状況に合わせたさまざまな学びのための方法を、さまざまな学外の施設や機関と連携しながら生徒及び教職員に提供することによって、学校の教育環境を充実させることが、学校図書館のミッションです。

〈What：学校司書の仕事って何ですか？〉

　それはずばり「情報リテラシー教育」です。「情報リテラシー」は「情報が

必要である状況を認識し、情報を効果的に探索・評価・活用する能力」のことで、単なるコンピューター・リテラシーとは違い、生徒が自立した市民になるために身につけなければならない学び方の素養を指す広い概念です[2]。情報にアクセスできるインプット力と、得られた情報を編集して新しい表現を創り出すことができるアウトプット力の両方が求められます。この情報リテラシーを身につけるための手段が、情報リテラシー教育であり、学校司書のやるべき仕事はこれにつきます。

　情報リテラシー教育は、「教える情報リテラシー教育」と「教えない情報リテラシー教育」の二つに分けることができ、そのどちらも重要です[3]。前者には、課題を設定し、調べてまとめて発表し、評価するという一連のプロセスを通して学ぶ探究学習の支援や、学校図書館利用法や情報探索のガイダンスなどがあります。生徒に身につけてほしい学習目標のために計画され組織された活動の支援は、教える情報リテラシー教育です。

　一方後者には、あらかじめ学習目標が設定されているもの以外の、学校図書館で行われるさまざまな活動の支援が含まれます。「なんか面白い本ない？」と聞かれて、生徒と一緒に本を選ぶことや、体育祭応援ダンスの衣装アイディアに役立つ資料の相談に乗るなどのレファレンスも、図書委員会活動の支援もそうですし、学校図書館に生徒が自然と足を運びたくなるような雰囲気をつくること、わかりやすい書架案内の工夫、生徒の顕在的ニーズに応え、潜在的ニーズを刺激するような資料を揃えること、学校司書の佇まい（生徒に「なんか怖そう……」と思われていないか）に気を配ることなど、学びのための環境づくりも、教えない情報リテラシー教育なのです。

〈How：仕事のやり方は決まっているんですか？〉

　仕事の進め方は、それぞれの状況に合わせて考えるべきものです。情報リテラシー教育という目的が明確で、教える情報リテラシー教育と教えない情報リテラシー教育両方の重要性を認識しているのであれば、それを実現する方法は多様でよいのです。

　例えば、私はカフェという方法が実現可能かつ有効だったので、現任校ではこの方法も使っています。週に1回NPOの若者支援者が、図書館内に無料の

ドリンクやスナックを提供するカフェをオープンさせます。カフェの最大の目的は、若者支援者が生徒たちと自然な形で出会うことで、困っている生徒を早期に発見し、彼らの課題を解決に導く「交流相談」です。また、地域のボランティアさんが、毎回10人前後来て、カフェの運営を手伝ってくださいます。このような、教職員以外の安心安全な大人と学校に居ながらにして出会えることは、生徒たちの社会関係資本を豊かにします。さらに、カフェには音楽が流れ、食べ物や飲み物があり、浴衣パーティーなどのイベントが頻繁に行われます。元々学校図書館は資料やイベントを通して生徒に文化的なシャワーを浴びせる場所ですが、カフェによってそのシャワーの幅と奥行きが一気に広がりました。交流相談も、社会的関係資本も、文化的シャワーも、どれも生徒が非常な困難に陥ってしまうことを未然に防ぐための予防的支援です。問題が起こってからの支援は対処的支援で、これも必要ですが、これまでの学校や福祉の現場では予防的支援の視点が欠けていました。予防的支援はまさに、情報リテラシー教育がめざす自立した市民をつくることにつながる支援です。

　このように、カフェは目的ではなく、情報リテラシー教育のための一つの手段にすぎません。例えば学校図書館でカフェをするべきか否かという的外れな議論が起こるのは、カフェを目的化してしまっているからです。カフェは一つの例ですが、これをブックトークやビブリオバトル、読み聞かせなどに置き換えて考えてみてはいかがでしょうか？　頑なに固執することでも拒絶することでもなく、その学校に合った方法かどうかを考えればよいとわかります。

〈Where：仕事場は学校図書館ですか？〉

　学校司書が働く場所は、学校図書館のなかだけではありません。まず、配属先である学校全体が職場であると心得なくてはなりません。学校組織の一員として、他の教職員と分担協力して学校運営を担います。例えば公立高校の学校組織は、大きくは学年、教科、校務分掌のレイヤーがあり、それぞれいくつかのグループに分かれているのが一般的です。学校の状況によってバリエーションはありますが、学校司書も必ずいずれかのグループに所属しています。私の場合は、校務分掌だけでなく学年にも所属し、部活動顧問も引き受けています。そうした方が学校図書館の仕事に有効だからです。入ってくる情報の量が格段

に違いますし、学校運営に意見を反映させやすくなり、教職員間の同僚性が生まれやすくなります。同じ自治体の公立でも、学校ごとに教育目標も文化も違います。ですから、その学校を知り、何が学校図書館に求められているかを見極めることが必須なのです。ただし、既存の学校文化にそうことだけを追求するということではありません。教職員と生徒が未だ気づいていない学校図書館に対する潜在的なニーズを掘り起こし、むしろその学校の文化を生徒中心のものに変革していくくらいの気概が求められます。

さらに、地域も大切な仕事の場です。自治体など地域の学校司書の人的ネットワークは、各学校図書館の質を向上させるために必須です。例えば神奈川には、県立だけでなく市立や私立の高校の学校図書館員で構成される研究会があります。公務の研究活動や研修の仕組みをつくり、情報交換のための掲示板の運営や県立図書館と県立高校図書館の総合目録と物流のネットワーク構築のための原動力となってきました。これらの仕組を持続可能にするための仕事を学校の外に出て積極的に分担し合うことが、各学校図書館のパフォーマンスを上げるために重要なのです。

そして、これからはもっと学校や地域での仕事を日本全国、全世界に向けて発信していくことが求められています。学校図書館がなぜ必要なのか、現場を支える学校司書が発信し続けることでしか世の中の理解は進みません。その意味で、仕事のフィールドは世界にまで広がっていると言えます。

〈When：勤務時間内に収まる仕事ですか？〉

学校図書館の仕事は、ある程度自分でペースを決めることができる一方、手を入れるポイントが数限りなくあり、区切りをつけにくいものです。しかし、学校での勤務時間は決まっています。むしろ仕事のオンとオフをはっきりさせて、学校を離れたら意識的に仕事のことは忘れるようにするくらいがちょうど良いです。別の世界に目を向ける時間をもつことが、結局は学校図書館の仕事の幅を広げることになるからです。

そうは言っても、私はお風呂でのんびりしている時に限って、仕事の良いアイディアが浮かびます。プライベートの時間に、図書館に入れたい資料に出くわした経験は数限りなくあります。「あ、この本Aちゃんが喜びそう！」とい

うように。無意識的にはいつもアンテナが立っていて、使えそうな情報をキャッチしたとたん仕事スイッチがオンになってしまう、24 時間体制の部分もあります。それは、学校図書館の仕事が人間相手のクリエイティブな仕事だからです。

〈Who（for whom/ with whom）：
誰のために働くのですか？　一人で働くのですか？〉

誰のために働くのか？　それは、その学校のすべての生徒のためです。図書館好きや読書好きの生徒だけのためではありません。学校図書館法には教職員も支援の対象と明記されていますが、それは間接的に生徒のためになるからです。

そして、学校にたった一人の専門職である場合が多い学校司書は、生徒のために、必要に応じて誰とでも協働する必要があります。教職員と管理職をはじめとして、生徒、生徒の保護者、自治体内外の学校図書館員仲間、自治体の公共図書館員や当該部署の職員、外部機関の専門家、書店員、地域の人など、考えうるすべての人が協働の相手です。

〈学校司書の使命〉

学校司書の仕事 5W1H を貫くのは、すべての生徒の多様な学びを保証するという使命です。この使命に基づいて学校司書がファシリテートすることによって、学校図書館で生徒は、学校にいながらにして時空を超えた情報や教職員以外の大人に出会うことができ、クラスや学年にとらわれない人と人の交流、学校行事の枠にとらわれない表現、創造を生み出すことができます。

このような楽しい学びの経験を通して、すべての子どもたちが、自分が生涯にわたって学ぶ権利があることを知り、その学び方は多様にあるということに気づくようになれば、情報リテラシーを身につけた市民になる準備は整ったと言えるのではないでしょうか？

1）文部科学省「学校図書館法
　http://www.mext.go.jp/a_menu/sports/dokusyo/hourei/cont_001/011.htm
2）アメリカ図書館協会「アメリカ図書館協会 ALA 会長情報リテラシー諮問委員会『最終報告』」、1989 年
3）野末俊比古「情報リテラシー教育の『これまで』と『これから』：図書館におけるいくつかの論点」『情報の科学と技術』、vol. 64, no. 1, 2014 年、情報科学技術協会

📚 学校司書の一日

高木　享子

　大阪府の箕面市立小学校における私の体験した学校司書としての一日を次に紹介します。学校司書の仕事とは、を読み取ってください。

4月□日

7：50 ── ・開館準備。コンピュータを立ち上げ、管理用ソフトを開く。
　　　　　・窓を開け、植物に水をやり、新聞を綴じる。
　　　　　・他校に依頼していた6年生の平和学習資料が前日に届いていたので、コンピュータ上で相互貸借処理をして、学年用ブックトラックに置く。

8：00 ── ・今日は市立図書館から本が届く日。返却する本を準備。
　　　　　・「予約の本が届きました」という手紙を書いていると、毎朝来る常連さんたちが、一人二人と来館し、本を読み始める。「おはよう!」と一人ひとりに声をかける。予約の本を取りに来た子や本を借りる子、「予約している本、あと何番目?」と聞きにくる子などへの対応に忙しくなる。
　　　　　・返却のさい、予約表示の出た本はカウンター下の箱に入れる。
　　　　　・今日の担当の図書委員が三々五々来る。
　　　　　・6年生が「倉敷について載っている本ありますか?」と尋ねてきた。修学旅行に向けて倉敷の町の施設などを調べているグループで、調べに来るのはこれで2回目。なかなか思うような資料がない様子。カウンターを図書委員に頼んで一緒に書架へ。『情報図鑑』(福音館書店)の県別索引を教えたり、岡山県の観光案内パンフレットや『平和博物館・戦争資料館ガイドブック』(歴史教育者協議会/編)などを薦める。

8：25 ── ・チャイムとともに、子どもたちは教室へ戻る。誰も残っていな
(職員朝会)　　いのを確かめてから職員室へ急ぐ。
　　　　　・職員朝会後、依頼されていた絵本5冊をU先生に手渡す。

- 「国語辞典を児童数分借りに行きます」とＨ先生。
- 図書館に戻りメールチェック。Ｒ中学校から「仕事」に関する本の依頼がきていた。この資料を使う学習はどの学年も予定していないことを「学年だより」で確認。送ることを伝える。
- Ｒ中学校へ送る本をコンピュータ上で相互貸借処理をする。荷造りをし、職員室の連絡箱に入れに行く。

8：50
（1限目）

- 予約申し込み用紙回収。予約の申し込みがあった本をコンピュータで調べ、貸出中の本には予約入力する。
- 途中でＨ先生が子どもたちと共に国語辞典36冊を借りに来館。
- 5年生のオリエンテーションで紹介した本に思わぬ反響があり予約が数名ついたので、複本で用意するため、他校の所蔵状況をコンピュータで検索。3校へ資料依頼をする。
- 2限目のクラスのオリエンテーションの準備をする。

9：40
（2限目）

【図書の時間　1年1組】　オリエンテーション
- 入学して3週間目。はじめての図書の時間。
- 1回目の今日は、『三びきのやぎのがらがらどん』（マーシャ・ブラウン）のお話組み木（おはなしに登場するものが木でつくられており、それを使っておはなしを進める）をした後、「本の扱い方」について話す。次回は本の借り方を話す予定。

10：25
（30分休憩）

- 「先生、本読んで！」と2年男子がやってきた。この子は、最近学校に来るのを嫌がる傾向があり、担任、保健の先生ともども気にしている子。カウンターを図書委員に頼んで二人で絵本を読む。
- そこへ「カエルの育て方の本ある？」と2年男子数名がカエルを入れたケースをもって寄ってきた。本読みを中断して「生き物の育て方」の棚に連れて行き、一緒に本にあたる。育て方の本以外にも『ずらーりカエル　ならべてみると……』（松橋利光）を見せ、「いろんなカエルがのっているよ」と言うと、実物と見比べてひとしきりカエルの名前を調べていた。また、本の続きを読む。途中、予約の本をとりにきた子に本を渡すなど何度

か中断されたが、最後まで読み終えた。その子は「また来るね」と帰っていった。

- 市立図書館の職員の方が本をもって来館。返却する本を渡す。

10：55
（3限目）
- チャイムが鳴り、子どもたちは教室へ。予約申込み用紙回収。予約本が戻って来た子へ手紙を書いていると、2年生来館。

【図書の時間　2年2組】
- 『アンディとらいおん』（ドーハティ）を読む。「その本貸して」と一人が言うと、「ぼくも」「わたしも」と数名集まる。今日借りる子を決め、その他の子どもたちは予約をする。
- 本の返却。授業終了10分前に貸出。
- 「ページが取れそう……」と女子が本をもってくる。修理し、本を渡す。修理も図書館でのありふれた1コマである。

11：45
（4限目）
【図書の時間　3年2組】
- まず隣の「調べ学習室」に案内する。便宜上「調べ学習室」と呼んでいるが、0類から6類までの資料（一部は隣室に配架）と国語辞典・漢和辞典（複本）が配架されている。
- 3年生になると国語辞典の使い方や「昔の暮らし」の学習でこの部屋にある本も使うので、どんな種類の本があるのかを説明し、自由に借りることができることを伝えた。
- 本の返却（図書係りもクラスで借りていた本を返却）と貸出。
- さっそく「調べ学習室」に行って本を探す子どももいた。

12：30
- 4限目終了後、6年の先生来館。「どちらがヨモギかな？」と2種類の葉を持参。校内で子どもたちと見つけたのでヨモギだんごをつくりたいのだが、本当にヨモギかどうかを調べたいとのこと。二人で数冊の図鑑を調べる。どちらもヨモギで、葉の大きいほうは「オトコヨモギ」という種類だということがわかった。子どもたちに説明するために『野草図鑑④』（保育社）を借りていかれた。

12：45
（給食）
- 担任をもたない教職員とともに職員室で食事をするのだが、今日はすでに準備が終わっていた。食事をすませ食器類を給食室

に戻してから図書館に戻る。

13：15
（昼休み）
・メールチェック。他校の司書との連絡や資料依頼、レファレンス依頼等はほとんどメールで行っている。

13：25
（掃除時間）
・予約入力をしていると、掃除当番の子どもたちがやってきた。掃除の後、配架と本棚の整理。修理が必要な本を抜き出す。

13：45
（5限目）
・保健の先生が資料調べに来館。今年異動してこられた先生なので、書架案内と排列の説明をしながら一緒に探す。8冊貸出。
・子どもたちが予約した本で自校にないものを市立図書館のインターネット蔵書検索の画面で調べ、予約入力。
・子ども向け図書館だよりの作成。数日前から取りかかっているが、集中して作成する時間がないのでなかなか進まない。
・6限目のクラスがやってきたので、またしても中断。

14：35
（6限目）
【図書の時間　5年3組】
・今月は「学校」がでてくる話を展示しているので、展示コーナーの紹介と絵本読み（1冊）と本の紹介（2冊）。
・本の返却と貸出。

15：30
（放課後）
・予約の本を取りに子どもが2名来館。
・6年女子はここで友だちと待ち合わせとのこと。45分から会議があるので閉館することを伝える。
・4年男子が教室で使いたいと国語辞典を借りに来た。図書館が閉まっていたら返却ボックスに入れるようにと伝える。

15：45
【研究部会議】
・図書館部も研究部に所属しているので司書教諭とともに出席。今年度の研究授業の持ち方について検討。
・研究部会議終了後、図書館へ戻りメールをチェック。
・作成途中の図書館だよりを家で完成させるために、原稿をメールで自宅に送る。

17：15
・コンピュータを終了させ、戸締りの確認をして帰宅。

［出典］塩見昇編『学校教育と学校図書館』（新編図書館学教育資料集成第10巻）、教育史料出版会、2009年。筆者は当時、箕面市立西南小学校の学校司書。

［Ⅲ］

司書資格の取得と
必要な科目等

1 │「司書」資格のもつ意味

　社会にはさまざまな仕事がありますが、そのなかの多くには、その仕事に就くために必ず取得しておく必要があり、一定程度以上にその仕事をこなすに足りる力量（知識や技能）を保証する証しとして「資格」が定められています。資格がないとその仕事に就くことができない職はたくさんあります。有資格者というと、みなさんはどのような職業を思いうかべるでしょうか。医師、看護師、弁護士、税理士、教師、保育士……。そのなかでも法にその定めがあり、国家試験によって力量が確認される典型として、医師や法曹家（裁判官、検事、弁護士）があります。学校教員や看護職、保育士、栄養士などは大学等の教育機関における一定の学習によりその資格を取得できることになっています。これらの職業のように法規に根拠をもつことがその裏づけとなるのが一般的ですが、ファイナンシャルプランナーなどのように関係の職能団体等によって自主的に規定されるものもあります。

　そういう意味で「資格」は、ある職業に従事する者が、その職にふさわしい専門的力量を備えているかどうかの社会的指標です。しかもそれがどの程度に高い社会的評価を受けるかは、現にその職にある者がどのような働きを実際に社会において発揮し得ているかに深くかかわります。専門職としての制度化は、その職に対する社会の期待と実践との緊張関係によってもたらされるものです。

　図書館で働く専門職員に必要とされる資格は、図書館法によって「司書／司書補」として規定され、後述するように講習を含めて大学における一定の科目の履修を要件としています（そのほかに図書館にかかわる専門資格としては学校図書館法に定める「司書教諭」がありますが、ここでは説明を省きます）。図書館法によるということは、それが直接には公共図書館職員の専門資格であって、大学・学校・専門図書館等の職員については関係がないはずです。しかし、大学図書館等の図書館員については何らの専門資格も法的には存在しないため（2014年の学校図書館法改正により「学校司書」が法定されましたが、

資格要件等についてはすべて今後の課題として残っています）、それらの図書館が専門職員を採用しようとするさい、図書館法による「司書」資格をもっていることを要件にすることが少なくありません。図書館についてのある程度の専門的知識・技能の保持者としての判断に「司書」資格を準用しているわけです。その意味で「司書」は、今日、図書館の専門職員一般を指す用語として、それなりに定着していると言えましょう。総務省が定めている日本標準職業分類において、「専門的・技術的職業従事者」の細分に「図書館司書」を掲げているのもその一例です。

　図書館で働く人は「司書資格をもっていなければならない」とはどこにも明記されていません。図書館法では「図書館に置かれる専門的職員を司書及び司書補と称する」となっていますが、司書資格の有無は問われていません。実際、資格をもっていなくても熱意をもって図書館での仕事に従事し、すばらしいサービスを提供している図書館員はたくさんおられます。では、熱意さえあれば資格取得は必要ないと言えるのでしょうか。大学で司書課程を担当していると、資格取得を志すことは「司書になりたい」という意思表示やあるいは決意、さらには自分自身を鼓舞することが一人ひとりの学生の資格取得のモチベーションを高めることにつながっていると日々、実感しています。特に大学1年生で司書課程科目としてはじめて履修する「図書館概論」では、司書を夢見て目をキラキラと輝かせて授業を受けている学生に毎年、たくさん出会います。これはとても大切なことです。つまり、司書資格をもつことは、即専門家であることの証しとはならないにしても、プロの職業人になるための入口として欠かせないことです。

　司書課程科目には図書館で仕事をするのに必要な知識・技術はもちろんですが、それまで抱いていた図書館のイメージを広げ深める内容もたくさん含まれています。それを学んだうえで仕事に就き、さらに職場における仕事を通しての OJT（On-the-Job Training）や自己研鑽を積み重ねることによって、真のプロになっていくことができるのです。これは司書に限らず、どんな職業にも共通することです。

2 ｜ 司書資格の取得方法

　司書および司書補の資格を取得する方法等について、図書館法第5条、6条は次のように規定しています。

　　（司書及び司書補の資格）
　第5条　次の各号のいずれかに該当する者は、司書となる資格を有する。
　　一　大学を卒業した者で大学において文部科学省令で定める図書館に関する科目を履修したもの
　　二　大学又は高等専門学校を卒業した者で次条の規定による司書の講習を修了したもの
　　三　次に掲げる職にあつた期間が通算して3年以上になる者で次条の規定による司書の講習を修了したもの
　　　イ　司書補の職
　　　ロ　国立国会図書館又は大学若しくは高等専門学校の附属図書館における職で司書補の職に相当するもの
　　　ハ　ロに掲げるもののほか、官公署、学校又は社会教育施設における職で社会教育主事、学芸員その他の司書補の職と同等以上の職として文部科学大臣が指定するもの
　2　次の各号のいずれかに該当する者は、司書補となる資格を有する。
　　一　司書の資格を有する者
　　二　学校教育法（昭和22年法律第26号）第90条第1項の規定により大学に入学することのできる者で次条の規定による司書補の講習を修了したもの
　　（司書及び司書補の講習）
　第6条　司書及び司書補の講習は、大学が、文部科学大臣の委嘱を受けて行う。
　2　司書及び司書補の講習に関し、履修すべき科目、単位その他必要な事

項は、文部科学省令で定める。ただし、その履修すべき単位数は、15
単位を下ることができない。

　ここで規定されている内容は、端的に言えば、大学（短大を含む）卒業程度
の一般教養と図書館についての専門教育を大学または講習で修得すれば、「図
書館の専門的事務に従事する」司書となる資格が得られ、高校卒業程度の一般
教養と図書館に関する学習を講習で修得することにより、「司書の職務を助け
る」司書補となる資格が取得できるというものです。司書については、大学に
おける履修と文部科学大臣が委嘱する講習の受講という二つの方法があるのに
対し、高卒を基礎資格とする司書補の場合は、講習を受講するしかありません。
しかし、高卒者でも司書補として3年以上の実務経験を経て司書の講習を受け
れば、司書の資格を取得できることが定められています。
　では司書について、実際にどのような資格取得のための学習の場が開かれて
いるかを紹介しましょう。大別すると、大学における履修、文部科学省の委嘱
で開催される司書講習の受講、通信教育を受講、の三つの方法があります。

① 大学在学中の受講

　司書資格を取得する人が最も多いのは、在学中に大学で開講される図書館に
関する科目を履修し、所定の単位を修得するケースです。図書館法の制定当初
以来、現職者の資格取得を一義的に想定したことで、講習による資格取得が主
になる制度を続けてきましたが、2008年の図書館法改正によって、資格取得
の主たる方法が「大学における履修」と変わりました。司書養成が大学におい
て行われるという形がより明確になったという点で、大きな制度の変更です。
　図書館法施行規則（省令）に定める司書の資格に必要な科目を開講している大
学数は、文部科学省への科目確認の届出数でみると次の表のとおりです。短大
を含めて195校、そのなかで私立大学（短大）が圧倒的に多数を占めています。

	国　立	公　立	私　立	合　計
大　学	8	5	140	153
短　大	－	1	41	42

文部科学省「司書養成科目開講大学一覧」（令和3年4月1日現在）より

　司書養成科目を開講している大学は、文部科学省のホームページで司書養成科目開講大学一覧が公表されるほか、大学ごとの取得可能な資格や専任教員等は、『図書館年鑑』（日本図書館協会）に毎年、開講大学一覧として掲載されています。あるいは各大学のウェブサイトの「取得できる資格」などには司書資格取得についての案内があります。これらを見れば、どの大学でどんな科目が開講され、どの教員がどの科目を担当しているか、資格の取得者数等の詳細な情報がわかります。これには講習、通信教育についても同様の情報が収録されています。

　大学における図書館情報学教育には、専門教育としてのそれと「司書課程」と称される資格取得を目的とした教育とがあります。専門教育の場合も、学部あるいは学科レベルで文字どおり図書館情報学を主専攻とするもの、専攻領域の一部として図書館情報学を含むもの、専攻生のほかに多数の専攻外学生も資格取得を希望して一緒に受講するケースなど多様で、それぞれに特徴や問題点を抱えています。個別に見ていくこととします。

a. 図書館情報学を主専攻とする教育

　学部または学科レベルで図書館情報学専攻を設け、所定の学生定員を擁する大学です。このタイプに相当するのは、国立の学部レベルで唯一の図書館情報学を専門とする筑波大学の図書館情報メディア系があります。筑波大学のこの専門課程には、文部省図書館員教習所・文部省図書館講習所（1921 年～ 1945 年）、帝国図書館（国立図書館、文部省）附属図書館職員養成所（1947 年～ 1963 年）、国立図書館短期大学（1964 年～ 1981 年）、国立図書館情報大学（1979 年～ 2004 年）という長い前身があります。このほか、私立で慶應義塾大学、愛知淑徳大学が学科レベルの専攻をたてています。いずれも多数の専任教員を擁し、カリキュラムも豊富で大学院も設置しており、本格的に図書館情報学を学べるコースです。

　　筑波大学図書館情報メディア系／筑波大学院図書館情報メディア研究科
　　　〒 305-8550 茨城県つくば市春日 1-2
　　　http://www.slis.tsukuba.ac.jp/

慶応義塾大学文学部／慶応義塾大学大学院文学研究科　図書館・情報学専攻

〒 108-8345 東京都港区三田 2-15-45

http://www.flet.keio.ac.jp/academics/library-and-information-science/index.html

＊3 年次から図書館コース、情報メディアコース、情報検索コースのいずれかを選択

愛知淑徳大学人間情報学部人間情報学科　図書館情報学専修

〒 480-1197 愛知県長久手市片平二丁目 9

https://www.aasa.ac.jp/faculty/department/human/library.html

b. 専攻領域に図書館情報学を含む教育

　学部または学科の下に、コースあるいは専修、講座といった形で研究教育領域として図書館情報学を設けているケースです。図書館情報学専攻の学生定員をもち、[a] に近いものとして、私立の駿河台大学、中央大学がある一方、国立の東京大学、京都大学、東京学芸大学、大阪教育大学、三重大学、山口大学、九州大学では教育学部や人文学部の中の専門の一つとして図書館情報学を学び、卒業研究（卒論）のテーマとして図書館情報学分野を選ぶことができます。私立大学にも青山学院大学、立教大学、同志社大学などこの種のタイプのものがいくつかあります。専任教員は 1 ～ 4 名程度で、この点で [a] とは明らかに教育体制が異なります。東京大学、京都大学では大学院博士課程までの進学も可能です。

　これらの大学における教育では、専攻の学生以外に他専攻の学生にも受講を認めているのが一般的で、その結果、かなり多数の学生が受講する大規模な授業になることもあります。その点では、次の [c] と似通った型の教育ともなります。他専攻（学部、学科、コース）の学生が図書館情報学の科目を受講した場合、それが卒業要件に必要な単位数にカウントされないこともあります。

　CAP 制（1 学期で履修できる授業科目に単位数で上限を設定する制度）の制約を超えて履修することも可能となります。

［国立大学］

東京大学　教育学研究科・教育学部

東京学芸大学　教育学部　教育支援課程　生涯学習コース

三重大学　人文学部

京都大学　教育学研究科・教育学部

大阪教育大学　教育協働学科

山口大学　人文学部

九州大学　文学部

［私立大学］

駿河台大学　メディア情報学部　図書館・アーカイブズ分野

聖徳大学　人文学部日本文化学科　図書館情報コース

青山学院大学　コミュニティ人間科学部

立教大学　図書館司書コース

中央大学　文学部社会情報学専攻

日本大学　文理学部　司書コース

明治大学　司書課程・司書教諭課程

同志社大学　免許資格課程センター

大阪大谷大学　文学部日本語日本文学科　図書館情報コース

関西大学　文学部　図書館情報学課程

九州龍谷短期大学　人間コミュニティ学科　司書・情報コース

c. 専攻外の司書課程としての教育

　学生はそれぞれ図書館情報学以外の専門分野を専攻し、自分の専門の勉強とは別に、司書資格の取得を目的として、図書館情報学を受講するタイプです。前記以外の多くの大学がこれに該当します。教員養成系の大学以外の大学で教員免許を取得するために設けられる「教職課程」とよく似た形式で、これらの場合を一般に「司書課程」と呼んでいます。それらの大学では開講する図書館情報学の科目について、それが後に説明する省令に定められた科目に相当することの確認を文部科学省から得ることになっており、それを前提にして、大学

ごとに法で定める司書の資格を認定できる制度になっているのです。

　開講されている科目、単位数は、省令に準拠していることから大差はありません。なかには 30 ～ 40 単位に及ぶ科目を開き、充実した教育を行っている大学もあります。司書課程の専任教員がいる大学では、卒論を図書館に関する内容で書くことができます。司書課程の科目を履修した場合、それが卒業に必要な単位数にカウントされるかどうかは大学によって異なりますが、認めるとしても一部に限るか含めないケースが多いようです。資格を得たいという学生は、卒業要件以外にそれだけ多くの単位を取ることが必要だという考え方でしょう。受講に当たって、私立大学には授業料とは別に受講料を必要とする大学もあります。

　専任教員はほとんどが 1 ～ 2 名で、外部から招く複数の講師の協力を得て授業が行われますが、なかには専任教員が不在で非常勤講師だけに依存している大学もあります。大学の経営上の事情によるのでしょうが、残念ながらこのような私立大学は増える傾向にあり、学生指導の観点からも望ましくないケースです。

　大学在学中に、資格取得に必要なすべての科目の単位を取得できなかった場合、残りの科目を司書講習で補うことが認められることもありますので、講習を開催する大学にその可否を相談するとよいでしょう。また、卒業後、在籍していた大学の科目等履修生として必要単位を取得することもできますので、履修制度について大学の教務係に確認してください。

② 司書講習の受講

　先述のように、図書館法が制定された当時、まず現職者が資格を得ることを一義的に考えたため、法は文部大臣が委嘱する講習の受講を司書資格取得の主たる方法と規定しました。講習は当初、「教育学部又は学芸学部を有する大学」が行うと定められ、国立大学が実施していましたが、1952 年の法改正で単に「大学」と改められたことで私立大学がもっぱら開講するようになり、現在は 7 校の私立大学が実施しています。ひところに比べると、講習を開催する大学は減っています。地区別にみると、北海道、北陸、中国・四国地区には開催大学がありません。講習開催大学はほぼ毎年継続して実施しており、2021 年度に委嘱を

受けて講習を実施した大学は次のとおりです（一部の大学では司書のみを開講）。

聖徳大学	千葉県松戸市岩瀬 550　聖徳大学 1 号館	
	聖徳大学生涯学習課　047-365-3601	
明治大学	東京都千代田区神田駿河台 1-1	
	明治大学駿河台キャンパス　03-3296-4423	
鶴見大学	神奈川県横浜市鶴見区鶴見 2-1-3	
	鶴見大学　045-574-8623	
愛知学院大学	愛知県日進市岩崎町阿良池 12	
	愛知学院大学日進キャンパス　0561-73-1111	
桃山学院大学	大阪府和泉市まなび野 1-1	
	桃山学院大学和泉キャンパス　0725-54-3131	
別府大学	大分県別府市大字北石垣 82　別府大学校舎	
	別府大学附属図書館　0977-66-9633	

　講習の委嘱は単年度ごとに行われているので、毎年、前年度末（3月ごろ）に開催大学が官報で公示され、文部科学省のウェブサイトや『図書館雑誌』3月号にも掲載されています。

　講習による教育の特徴は、使用する教室等の施設の関係からもほとんどが大学の夏季休暇の期間を使っての集中講義となります。短期に過密な学習を余儀なくされること、受講生が 100 名を超える大規模な授業となるのが普通です。受講生は年齢、学歴、職業歴などが多様で、受講の目的意識が明確なため、真摯な生涯学習の場となっていることも事実です。

　明治大学では 2009 年度から e ラーニングのメディア授業（講習の期間は 7月〜翌年 3 月）という形式での講習も実施していました。

　受講者の選定はおおむね「作文と書類審査」と公表されています。希望者の多い場合には作文程度の選抜試験を行い、書類選考で現職者を優先し、在学生を断ることもあるようです。資格の取得に必要なすべての科目を一度に履修するのではなく、複数年度にわたって部分的に受講することも可能です（ただし、講習の委嘱が単年度ごとであることに留意しておくことが必要です）。

　講習による司書及び司書補の資格取得者は、全体で1年に1100名前後です。司書講習の存続をめぐっては、これまでいろいろ議論を呼んでいます。現職者が資格を取得することを考えて始めた講習の役割はもう終わった、司書の専門性を高めるためには、短期間の講習による安易な資格取得は好ましくない、という否定論に対して、無資格の現職者が資格を取得できる場は必要だ、多様なキャリアの人が司書をめざす学習の場として意義がある、講師陣が豊富で講義の内容は大学の授業よりも充実している、という擁護論も強いのが現状です。講習を継続する以上は、委嘱する文部科学省、実施する大学の双方が、教育条件の改善になおいっそうの努力をはらうことが必要なのは当然です。

③ 通信教育による受講

　大学に在学しない人、講習を受けるには地域的・時間的に無理だという人が、司書の資格を取得しようと考えたとき、活用できる方法として大学の通信教育があります。大学に正規の学生として入学しなくても履修したい科目だけを受講し、単位を取得する「科目等履修生」になることもできますが、その場合でも当然、大学に通学することが必要です。それに対して通信教育は、在宅で自分のペースに合わせて学習することができ、所定の単位を修得することができるので、全国的に多くの人によって利用されています。もっともスクーリングや試験などある程度、集中的な最低限の通学は必要です。

　この制度を活用して司書の資格を取得できる科目を開講しているのは、2022年4月1日現在、次の10大学です。

聖徳大学通信教育部	帝京平成大学通信教育課程
明星大学通信教育部	法政大学通信教育部
佛教大学通信教育課程	八洲学園大学
近畿大学通信教育部	大阪芸術大学通信教育部
玉川大学通信教育課程	姫路大学通信教育課程

3 資格取得に必要な科目と単位数

　司書の資格取得に必要な科目と単位数については、図書館法第5条第1項第1号をうけて図書館法施行規則の第1章「図書館に関する科目」第1条が次のように規定しています。この内容は2009年4月30日付けの省令改正によるもので、2012年4月1日から完全施行されました。

第1章　図書館に関する科目
第1条　図書館法（昭和25年法律第118号。以下「法」という。）第5条第
　　　　1項第1号に規定する図書館に関する科目は、次の表に掲げるものと
　　　　し、司書となる資格を得ようとする者は、甲群に掲げるすべての科目
　　　　及び乙群に掲げる科目のうち2以上の科目について、それぞれ単位数
　　　　の欄に掲げる単位を修得しなければならない。

群	科　目	単位数	群	科　目	単位数
甲群	生涯学習概論	2	乙群	図書館基礎特論	1
	図書館概論	2		図書館サービス特論	1
	図書館制度・経営論	2		図書館情報資源特論	1
	図書館情報技術論	2		図書・図書館史	1
	図書館サービス概論	2		図書館施設論	1
	情報サービス論	2		図書館総合演習	1
	児童サービス論	2		図書館実習	1
	情報サービス演習	2			
	図書館情報資源概論	2			
	情報資源組織論	2			
	情報資源組織演習	2			

講習による資格取得については、同施行規則の第2章「司書及び司書補の講習」に定めがあります。

受講資格は、司書については、

1　大学に2年以上在学して、62単位以上を修得した者又は高等専門学校若しくは法附則第10項の規定により大学に含まれる学校を卒業した者
2　法第5条第1項第3号イからハまでに掲げる職にあつた期間が通算して2年以上になる者
3　法附則第8項の規定に該当する者
4　その他文部科学大臣が前3号に掲げる者と同等以上の資格を有すると認めた者

司書補については、「学校教育法第90条第1項の規定により大学に入学することのできる者」となっています。

講習において修得すべき科目、単位数は、司書の場合は第1条に掲げた「大学における科目」がそのまま適用されます。

司書補については第6条に、「次の表に掲げるすべての科目、単位」を修得するものと定めています。

科　目	単位数
生涯学習概論	1
図書館の基礎	2
図書館サービスの基礎	2
レファレンスサービス	1
レファレンス資料の解題	1
情報検索サービス	1
図書館の資料	2
資料の整理	2
資料の整理演習	1
児童サービスの基礎	1
図書館特講	1

4 ｜ 現行カリキュラムの構成と特徴

　司書の資格取得に必要な科目として図書館法施行規則に定められる「（大学における）図書館に関する科目」は、2010年4月から一部施行、2012年4月に完全施行されました。

　この科目等については、文部科学省「これからの図書館の在り方検討協力者会議」において検討され、日本図書館協会などの意見聴取を経て、『司書資格取得のために大学において履修すべき図書館に関する科目の在り方について（報告）』として2009年2月にまとめられたものをベースに省令化されました。この報告では、「『これからの図書館像』を実現するためには、司書が今日の社会において図書館に期待される役割を理解し、社会の変化や住民のニーズに対応して図書館を改革していくことが必要」とされています。このカリキュラムの構成、特徴などについて見ておきましょう。

　必修科目の11科目22単位は、①基礎科目、②図書館サービスに関する科目、③図書館情報資源に関する科目、の三区分から構成されています。それぞれに基本となる内容の「概論」科目を置き、講義を主体とする「論」と演習を主体とする「演習」を配しています。それをさらに発展させ、深める科目として選択で「特論」や実習を加えています。

　①基礎科目は、生涯学習概論、図書館概論、それに図書館情報技術論、図書館制度・経営論から成ります。情報技術論は、図書館業務に必要な基礎的情報技術を学ぶ科目で、新たに加わった科目です。制度・経営論は、これまでの図書館経営論を拡充し、図書館に関する法律、制度、政策面を加えたものです。

　②サービスに関する科目には、図書館サービス概論と各論として情報サービス、児童サービスを置き、演習でレファレンスサービス、情報検索サービスを扱うことにしています。

　③図書館情報資源の科目としては、情報資源概論で印刷資料から電子情報までを対象とし、組織論と組織演習を置いています。

④区分を横断する内容の選択科目として、図書・図書館史、図書館施設論を
　設け、各区分を発展させる特論のほかに、図書館に関する課題研究等を行
　う図書館総合演習、図書館現場での図書館実習を加えています。

　資格取得に必要な最低13科目24単位は、「図書館で勤務し専門的職員とし
て図書館サービス等を行うための基礎的な知識・技術を修得するため」のもの
であり、その後「さらに専門的な知識・技術を身に付けていくための入口とし
て位置付けることが適切」だというのが、このカリキュラムを構想した立場の
視点です。専門職としての司書の形成は、養成課程における学習を基礎に、職
業生涯を通して継続的な学びによってなされるものであり、その基礎を培うも
のとして24単位があるという認識は妥当なものだと思います。ちなみに、教
職免許状取得に必要な最低修得単位数は4年生大学の場合、幼稚園教諭は59
単位、小学校教諭・中学校教諭・高等学校教諭とも67単位です。
　司書資格の取得方法が大学における履修を基本に改められたことで、開講す
る大学の積極的な内容充実の努力が求められます。省令からまったく離れるこ
とは制度上できませんが、大学における開講では、それぞれの大学が創意工夫
のあるカリキュラムを組み、充実した教育を行うことが、強く期待されるとこ
ろです。
　最後に、現行のカリキュラムについて、司書の科目内容として文部科学省が
参考に示している「科目のねらいと内容」を次頁に掲げて、学習の参考に供し
ます。

◆ 司書資格取得のために大学において履修すべき図書館に関する科目一覧

科目名・単位数	ねらい	内　容
必須科目		
1.基礎科目		
生涯学習 概論 [2単位]	生涯学習及び社会教育の本質と意義の理解を図り、教育に関する法律・自治体行財政・施策、学校教育・家庭教育等との関連、並びに社会教育施設、専門的職員の役割、学習活動への支援等の基本を解説する。	(1) 生涯学習・生涯教育論の展開と学習の実際 (2) 生涯学習社会における家庭教育・学校教育・社会教育の役割と連携 (3) 生涯学習振興施策の立案と推進 (4) 教育の原理とわが国における社会教育の意義・発展・特質 (5) 社会教育行政の意義・役割と一般行政との連携 (6) 自治体の行財政制度と教育関連法規 (7) 社会教育の内容・方法・形態（学習情報の提供と学習相談、評価を含む） (8) 学習への支援と学習成果の評価と活用 (9) 社会教育施設・生涯学習関連施設の管理・運営と連携 (10) 社会教育指導者の役割
図書館概論 [2単位]	図書館の機能や社会における意義や役割について理解を図り、図書館の歴史と現状、館種別図書館と利用者ニーズ、図書館職員の役割と資格、類縁機関との関係、今後の課題と展望等の基本を解説する。	(1) 図書館の現状と動向 (2) 図書館の構成要素と機能 (3) 図書館の社会的意義（ユネスコ公共図書館宣言、地域社会と図書館を含む） (4) 知的自由と図書館（図書館の自由に関する宣言等） (5) 図書館の歴史 (6) 公立図書館の成立と展開 (7) 館種別図書館と利用者のニーズ (8) 図書館職員の役割と資格 (9) 図書館の類縁機関・関係団体（文書館を含む） (10) 図書館の課題と展望
図書館情報 技術論 [2単位]	図書館業務に必要な基礎的な情報技術を修得するために、コンピュータ等の基礎、図書館業務システム、データベース、検索エンジン、電子資料、コンピュータシステム等について解説し、必要に応じ	(1) コンピュータとネットワークの基礎 (2) 情報技術と社会 (3) 図書館における情報技術活用の現状 (4) 図書館業務システムの仕組み（ホームページによる情報の発信を含む） (5) データベースの仕組み (6) 検索エンジンの仕組み (7) 電子資料の整理技術 (8) コンピュータシステムの管理（ネットワークセキュリティ、ソフトウエア及びデータ管

	て演習を行う。	理を含む） (9) デジタルアーカイブ (10) 最新の情報技術と図書館
図書館制度・ 経営論 ［2単位］	図書館に関する法律、関連する領域の法律、図書館政策について解説するとともに、図書館経営の考え方、職員や施設等の経営資源、サービス計画、予算の確保、調査と評価、管理形態等について解説する。	(1) 図書館法（逐条解説） (2) 他館種の図書館に関する法律等（学校図書館法、国立国会図書館法、大学設置基準、身体障害者福祉法） (3) 図書館サービス関連法規（子どもの読書活動推進法、文字・活字文化振興法、著作権法、個人情報保護法、労働関係法規、民法等） (4) 図書館政策（国、地方公共団体） (5) 公共機関・施設の経営方法（マーケティング、危機管理を含む） (6) 図書館の組織・職員（組織構成、館長の役割、人事管理、図書館協議会、ボランティアとの連携） (7) 図書館の施設・設備 (8) 図書館のサービス計画と予算の確保 (9) 図書館業務・サービスの調査と評価 (10) 図書館の管理形態の多様化

2.図書館サービスに関する科目

図書館 サービス概論 ［2単位］	図書館サービスの考え方と構造の理解を図り、資料提供、情報提供、連携・協力、課題解決支援、障害者・高齢者・多文化サービス等の各種のサービス、著作権、接遇・コミュニケーション等の基本を解説する。	(1) 図書館サービスの考え方と構造 (2) 図書館サービスの変遷（図書館法制定以降） (3) 資料提供サービスの基本（利用案内・貸出・予約サービスの流れと相互の関係） (4) 情報提供の形態と機能（レファレンスサービス、情報発信、講座・セミナー） (5) 図書館サービスの連携・協力（図書館ネットワークの意義と形態） (6) 課題解決支援サービス (7) 障害者サービス (8) 高齢者サービス、多文化サービス (9) 図書館サービスと著作権 (10) 利用者に対する接遇・コミュニケーション、広報
情報 サービス論 ［2単位］	図書館における情報サービスの意義を明らかにし、レファレンスサービス、情報検索サービス等のサービス方法、参考図書・データベース等の情報源、図書館	(1) 情報社会と図書館の情報サービス (2) 図書館における情報サービスの意義と種類（レファレンスサービス、レフェラルサービス、カレントアウェアネスサービス、読書相談、利用案内等） (3) レファレンスサービスの理論（利用者の情報行動、レファレンスプロセス、事例の活用、組織と担当者、サービスの評価等）

	利用教育、発信型情報サービス等の新しいサービスについて解説する。	(4) レファレンスサービスの実際（レファレンスサービスの体制づくり・実施・普及、現状と問題点等） (5) 情報検索サービスの理論と方法 (6) 各種情報源の特質と利用法 (7) 各種情報源の解説と評価（参考図書、ネットワーク情報資源等を含む） (8) 各種情報源の組織化（二次資料の作成、情報発信を含む） (9) 発信型情報サービスの意義と方法 (10) 図書館利用教育（情報リテラシーの育成を含む）
児童 サービス論 [2単位]	児童（乳幼児からヤングアダルトまで）を対象に、発達と学習における 読書の役割、年齢層別サービス、絵本・物語等の資料、読み聞かせ、学校との協力等について解説し、必要に応じて演習を行う。	(1) 発達と学習における読書の役割 (2) 児童サービスの意義（理念と歴史を含む） (3) 児童資料（絵本） (4) 児童資料（物語と伝承文学、知識の本） (5) 児童サービスの実際（資料の選択と提供、ストーリーテリング、読み聞かせ、ブックトーク等） (6) 乳幼児サービス（ブックスタート等）と資料 (7) ヤングアダルトサービスと資料 (8) 学習支援としての児童サービス（図書館活用指導、レファレンスサービス） (9) 学校、学校図書館の活動（公立図書館との相違点を含む） (10) 学校、家庭、地域との連携・協力
情報 サービス演習 [2単位]	情報サービスの設計から評価に至る各種の業務、利用者の質問に対するレファレンスサービスと情報検索サービス、積極的な発信型情報サービスの演習を通して、実践的な能力を養成する。	(1) 情報サービスの設計（レファレンスサービスの体制づくりを含む） (2) レファレンスコレクションの整備 (3) レファレンスインタビューの技法と実際 (4) 情報検索の技法と実際（各種データベースの検索演習や電子ジャーナルの活用） (5) 質問に対する検索と回答（質問の分析と情報源の選択を含む） (6) 発信型情報サービスの実際（パスファインダーの作成を含む） (7) 情報サービスの評価（レファレンス事例の作成・評価を含む）
3.図書館情報資源に関する科目		
図書館情報 資源概論 [2単位]	印刷資料・非印刷資料・電子資料とネットワーク情報資源か	(1) 印刷資料・非印刷資料の類型と特質（図書・雑誌・新聞、主要な一次・二次資料、資料の歴史を含む）

	らなる図書館情報資源について、類型と特質、歴史、生産、流通、選択、収集、保存、図書館業務に必要な情報資源に関する知識等の基本を解説する。	(2) 電子資料、ネットワーク情報資源の類型と特質 (3) 地域資料、行政資料（政府刊行物）、灰色文献 (4) 情報資源の生産（出版）と流通（主な出版者に関する基本的知識を含む） (5) 図書館業務と情報資源に関する知識（主な著者に関する基本的知識を含む） (6) コレクション形成の理論（資料の選択・収集・評価） (7) コレクション形成の方法（選択ツールの利用、選定・評価） (8) 人文・社会科学分野の情報資源とその特性 (9) 科学技術分野、生活分野の情報資源とその特性 (10) 資料の受入・除籍・保存・管理（装備・補修・排架・展示・点検等を含む）
情報資源組織論[2単位]	印刷資料・非印刷資料・電子資料とネットワーク情報資源からなる図書館情報資源の組織化の理論と技術について、書誌コントロール、書誌記述法、主題分析、メタデータ、書誌データの活用法等を解説する。	(1) 情報資源組織化の意義と理論 (2) 書誌コントロールと標準化 (3) 書誌記述法（主要な書誌記述規則） (4) 主題分析の意義と考え方 (5) 主題分析と分類法（主要な分類法） (6) 主題分析と索引法（主要な統制語彙） (7) 書誌情報の作成と流通（MARC、書誌ユーティリティ） (8) 書誌情報の提供（OPACの管理と運用） (9) ネットワーク情報資源の組織化とメタデータ (10) 多様な情報資源の組織化（地域資料、行政資料等）
情報資源組織演習[2単位]	多様な情報資源に関する書誌データの作成、主題分析、分類作業、統制語彙の適用、メタデータの作成等の演習を通して、情報資源組織業務について実践的な能力を養成する。	(1) 書誌データ作成の実際 (2) 主題分析と分類作業の実際 (3) 主題分析と統制語彙適用の実際 (4) 集中化・共同化による書誌データ作成の実際 (5) 書誌データ管理・検索システムの構築 (6) ネットワーク情報資源のメタデータ作成の実際

必修科目　小計22単位

選択科目	
図書館 基礎特論 ［1 単位］	必修の各科目で学んだ内容を発展的に学習し、理解を深める観点から、基礎科目に関する領域の課題を選択し、講義や演習を行う。
図書館 サービス特論 ［1 単位］	必修の各科目で学んだ内容を発展的に学習し、理解を深める観点から、図書館サービスに関する領域の課題を選択し、講義や演習を行う。
図書館 情報資源特論 ［1 単位］	必修の各科目で学んだ内容を発展的に学習し、理解を深める観点から、図書館情報資源に関する領域の課題を選択し、講義や演習を行う。
図書・ 図書館史 ［1 単位］	必修の各科目で学んだ内容を発展的に学習し、理解を深める観点から、図書をはじめとする各種図書館情報資源の形態、生産（印刷等含む）、普及、流通等の歴史、並びに図書館の歴史的発展について解説する。
図書館 施設論 ［1 単位］	必修の各科目で学んだ内容を発展的に学習し、理解を深める観点から、図書館活動・サービスが展開される場としての図書館施設について、地域計画、建築計画、その構成要素等を解説する。
図書館 総合演習 ［1 単位］	必修の各科目で学んだ内容を掘り下げて学習し、理解を深める観点から、少人数を対象に、研究指導や論文指導あるいは見学会・講演会等を組み合わせた総合的な演習を行う。
図書館実習 ［1 単位］	図書館に関する科目で得た知識・技術を元にして、事前・事後学習の指導を受けつつ公立図書館業務を経験させる。

選択科目　小計 2 単位

合　　計　　24 単位

［Ⅳ］

司書の採用試験
その仕組みと現状

図書館に司書を配置することに関して図書館法は、次のように定めています。

　第4条　図書館に置かれる専門的職員を司書及び司書補と称する。
　第13条　公立図書館に館長並びに当該図書館を設置する地方公共団体の
　　教育委員会が必要と認める専門的職員、事務職員及び技術職員を置く。

　国が図書館を設置する自治体に対して、図書館の施設・設備に要する経費の
一部を補助するための要件として、かつては最低基準により館長の司書資格、
一定数以上の司書の配置を求めてきたこと（1999年7月法改正で廃止）などか
らして、法が公立図書館に司書の配置が必要だと考えていることは明らかです
が、必ず司書を置かねばならないと明記しているわけではありません。公立図
書館に司書を配置することは望ましいが、必ず置かねばならないというわけで
もない、という受け止めが自治体の人事当局などにされ、結果として司書の採
用が制度として確立されない状況を各地に広くつくり出しています。加えて、
近年の行財政改革、公務員の定数削減という国の方針が正規職員の司書採用を
抑制している傾向は顕著です。また残念なことに、正規職員の司書が定年退職
した後の補充には、非正規職員を充てるということも見受けられます。
　2008年の法改正にさいして、日本図書館協会が文科省社会教育課の担当官
と協議したさい、「公立図書館に館長、司書並びに当該図書館を設置する……
が必要と認める事務職員及び技術職員を置く」と13条の表現をごく一部手直
しすることで司書の配置をいっそう明確にする案を提起しました。しかし、日
本図書館協会の要請内容に一定の理解は示したものの、規制緩和に逆行するこ
とは無理だとの理由で受け入れられませんでした。
　公立図書館だけでなく、大学、学校、専門図書館など、どの館種についても、
図書館員として司書の資格を有する専門職員を配置することの法的な明示がな
いために、司書採用の有無は採用側の意向に左右されます。採用試験について
も、公務員試験や教員採用試験に比べて募集人数が小規模であるため、その実
施が不定形で、採用情報を把握するのが難しいということは否めません。後に
紹介する図書館関係の求人情報のほか、大学の就職課などに寄せられる募集要

項や、『公務員試験受験ジャーナル』（実務教育出版、月刊）などの就職情報誌をたんねんに調べる、自分がめざしたいと考える図書館やその自治体の採用情報をウェブサイトでこまめにチェックする、人事委員会、教育委員会などに採用計画の有無を照会する、といった積極的な働きかけが必要でしょう。図書館でアルバイトをしていて職場の人から情報を得た、というケースも少なくないようです。

『公務員試験受験ジャーナル』誌では編集部がアンケートで調べた全国の市役所職員採用試験の実施結果を一覧にしてまとめており、そのなかに司書の試験に関する情報も含まれています。申込者数、受験者数、1次合格者数、最終合格者数が掲載されているので、過年度のデータですが参考になる情報です（同誌の毎年4、5月号に掲載されています）。

日本図書館協会では、各自治体・大学等から寄せられた採用試験の情報（求人情報）を『図書館雑誌』やホームページ、メールマガジンで提供しています。近年は、正規職員の求人が少なく、嘱託、臨時（アルバイト）職員、さらには司書を派遣する業者等からの募集が増えていますが、地域別に情報がまとめられているので図書館職を志す人にとっては欠かせない情報源です。

インターネット上に公開されている司書を対象とした求人情報として、「図書館司書になる！」という正規採用の図書館司書をめざす方を応援するブログ（http://library-site.hatenablog.com/）は、司書志願者には貴重な情報源でしょう。管理人の呼びかけは下記の通りです。

　　司書資格／求人、公務員試験、委託／指定管理者制度などの記事を投稿します。

採用情報はいずれも自治体公式サイトへのリンクが貼られていて、とても便利です。また、過去問題の取りまとめや、終了した国立大学図書館及び自治体採用試験の概観なども掲載されます。

この章では、公共図書館をはじめ各館種ごとに、司書（図書館員）の採用がどのような仕組みになっているか、採用試験の実績、実施時期等を概説します。

1 ｜ 公立図書館

　都道府県立、市区立、町立、村立の各図書館員（正規職員）は、それぞれの自治体の地方公務員として採用されます。

　公立図書館における図書館職員の採用、配置には大きく分けて二つの方法があり、さらにそのなかで細部が異なっています。最も大きな違いは、図書館には司書の資格を有する者を特定して配置することを制度的に定めている場合と、そうはなっていない場合です。そのうえでその認定に強弱の違いがあります。

　図書館の専門的職務（総務的、現業的な仕事以外の図書館固有の業務＝いわゆる司書的業務）については司書の資格を有する者が当たることの必要性を認め、任用にさいして「司書」の職名を与え、そのため図書館員の採用にさいしては、対象を司書の有資格者に限っての採用試験を行い、「司書」として採用した者は原則として他の職務に異動させないことを制度として明確にしている場合が、「司書職制度」が確立しているとされる自治体です。その対極にあるのは、図書館員を自治体の一般行政職員とまったく区別せず、庁内の部局の一つとして図書館への人事配置を行う場合で、こうした自治体では「司書」としての採用は基本的にあり得ません。この両極の間に、いくつかの折衷的な方式が存在します。

① 司書職制度をもつ自治体

　上記のような意味での司書職制度を備えている自治体では、図書館員の雇用が必要になったさいは、図書館法に基づく司書の有資格者を対象にして、公開公募で採用試験を行います。司書を希望する人にとっては最も理解しやすく、対応しやすいケースでしょう。自治体採用試験の一環として募集要項がウェブサイトで公開されますので、情報入手は容易になっています。

　試験の実施時期には二通りがあります。一般行政職員のほか保育士、栄養士、医師、看護師、電気や機械、土木等の技術職員などと同時に、その自治体の公務員試験として統一日を設定する場合と、司書の採用試験日を独自に設定する

場合です。公務員試験の日程は流動的であり、年度により試験の時期が異なります。必ず当該年度の試験日程を確認してから併願できるところがあるかなど、予定を組み立ててください。ウェブサイトで J-LIS（地方公共団体情報システム機構）の「地方公務員採用試験案内」などをつねにチェックすることが大切です。

　選考の対象（受験資格）は学校教育法による短期大学以上の学校を卒業した人か翌年 3 月 31 日までに卒業見込みの人で、図書館司書資格を有する人か翌年 3 月 31 日までに取得する見込みの人というのが一般的です。対象年齢は新卒者あるいは卒後○○年の若年層に限定せず、おおむね 35 歳程度まで幅が広がっています。2018 年度および 2019 年度の岡山県瀬戸内市では、60 歳までを対象としていました。

　また、司書としての実務経験や社会人経験を有することを条件に掲げることもあります。限られた人数のスタッフに即戦力を求める募集側の事情がうかがえます。2021 年度の愛知県が「民間企業等における職務経験を 3 年以上有する人」、滋賀県近江八幡市が「図書館での職務経験が 2 年以上の人」、秋田県秋田市が「図書館での職務経験が 5 年以上の人」とあるのがその一例です。この場合、求められる「経験」は必ずしも正規職員としてのそれとは限らないこともありますので、臨時職員等の身分で働いた経験が活かされることにもなります。

　正規職員（司書）の採用そのものが少なくなっているので、志願者が集中し、試験はどこも相当に高い競争率になることは覚悟しておかねばなりません。

　試験は、一般教養試験や総合能力試験と専門試験で第一次選抜を行い、その合格者について小論文、面接、適性検査等でさらに選抜するという二段階選抜が一般的です。図書館学の知識は、専門試験や小論文、面接において問われることになります。2019 年 6 月 23 日に実施された愛知県職員採用試験では、司書職採用については「図書館概論、図書館制度・経営論、図書館情報技術論、図書館サービス概論、情報サービス論、児童サービス論、図書館情報資源概論、情報資源組織論等」が専門試験出題分野と提示されました。

　現役大学生の場合は、主に 3 年生を対象として学内で実施される公務員対策講座や、SPI（Synthetic Personality Inventory）対策講座などにも積極的に参加することをおすすめします。V章の合格体験記には「私は、大学 2 年生の秋から、学部で放課後に開講されていた『公務員試験準備講座（教養模擬試験）』

を受講していました」や「大学で公務員試験対策のための講座が開かれていたので、そちらも受講しました」という具体的な報告があります。

　自治体の設置する図書館ということで、公立図書館だけでなく、その自治体の公立大学（短大）、さらには学校の図書館職員をもあわせて同一試験で選考することもあります。合格者について配置先の希望などその意思が必ずしもただされるとは限らないので、募集要項でそのことを承知しておくことが必要です。自治体によっては、そのほか議会図書室、博物館・美術館の図書（資料）室、研究所等の資料室なども司書の配置ポストとしているところがあります。ここでは司書として採用された者の配置先は、公立図書館に限らずかなり多様なことになり得ることを承知しておいてください。

　岡山県教育委員会職員採用候補者選考試験「司書」の過去の試験実施年度、受験者数および合格者数は下記のとおりです（岡山県公式サイトより）。

試験実施年度	受験者数	合格者数
令和2年度	27人	2人
令和元年度	39人	3人
平成30年度	46人	3人
平成29年度	試験実施せず	
平成28年度	55人	2人
平成27年度	試験実施せず	
平成26年度	試験実施せず	
平成25年度	87人	2人
平成24年度	試験実施せず	

② 司書の採用試験は行うが、制度の確立とはいいがたい自治体

　前掲の①と比較すると、図書館には司書の有資格者が必要だという認識はあり、司書試験をほぼ続けている、もしくは過去に実施したこともあるが、一般行政職員を内部異動で充てることもあるし、司書で採用した職員を他の部局に配置転換することもあるという自治体で、「司書」の職名の有無はまちまちです。「司書」有資格者を特定しての採用試験を実施している、もしくはしたことがあるという点で次項の③とは明らかに異なります。相当数の市町の図書館がこれに該当します。しかしこのタイプの自治体における正規職員としての司書の

採用が減る傾向は否めず、嘱託や期限つき雇用、外部からの派遣職員の増加が目立つのは残念なことです。

　このタイプの採用を行う場合もその内実は多様で、新たに図書館を設置したときには司書の採用を行ったが、その後は一般行政職員との区別をしていないところもあります。有資格者を図書館内部にとどめることにさほど意を払っていない自治体など、その実態を一口で言うことは困難です。職員規模がそれほど大きくない図書館の場合、昇任・昇格や人間関係などから図書館外との人事交流が避けがたい、図書館の経験だけでなく公務員としては一般行政事務を経験しておくことも必要だ、といった人事当局の判断や事情もあるようです。

　採用試験を実施するさいの時期、内容等は、前項の①の場合と基本的に違いはありません。採用予定数の確定が難しいので、かなり遅い時期の採用試験となることも珍しくなく、受験者にとって対策が立てにくいのは否めません。例えば、2021年度は滋賀県と石川県珠洲市が4月採用予定で2020年2月6日（日）に採用試験を実施しました。

　司書を特定しての採用試験であっても、ときに専門試験が図書館情報学ではなく、一般行政職の試験問題（行政法、政治、経済など）を課すケースがあります。図書館情報学の専門知識は司書の資格を有することで判断できるからとの説明がされたりしていますが、受験者にとっては好ましいことではなく、採用試験の面でみるとこの場合は次の③とほとんど違いがないといっても過言ではありません。いずれの場合も公務員試験として一次試験に課せられる一般教養を突破することが必要です。

＜参考＞これまでの司書採用試験実施団体と時期（抜粋）

　参考までに地方自治体で司書（正規職員）の採用試験を実施している近年の状況を整理しました。2021年度に限定しても85件、2020年度も85件以上ありますので、お示しするのはあくまでも一部です。また、上の①項、②項に該当するものを特に区別せず、並列しています。

　　＊都道府県立、市区立、町村立、その他学校等の順に、それぞれ都道府県コード番号順に並べています。

【2021 年度】

4 月 24 日(土)〜 5 月 4 日(火)奈良県生駒市（若干名 ＊一次試験は SPI3）

4 月 30 日(金)〜 5 月 19 日(水)栃木県宇都宮市（若干名 ＊一次試験は書類選考）

5 月 30 日(日)　兵庫県宝塚市（1 名 ＊9 月 1 日採用）

6 月 13 日(日)　埼玉県川越市（3 名 ＊10 月 1 日採用）

6 月 20 日(日)　神奈川県（4 名）、山梨県（1 名）、愛知県（若干名 ＊民間企業等における職務経験を 3 年以上有する人）、大分県（1 名）、石川県金沢市（2 名）、石川県加賀市（1 名）、滋賀県近江八幡市（2 名 ＊図書館での職務経験が 2 年以上の人）、京都府京丹波町（1 名）、兵庫県神戸市（若干名）

6 月 27 日(日)　山梨県都留市（若干名）、岐阜県飛騨市（1 名）

7 月 8 日(木)〜 21 日(水)　大阪府枚方市（1 名 ＊一次試験はエントリーシートによる審査）

7 月 11 日(日)　千葉県成田市（若干名）、静岡県熱海市（若干名）、滋賀県東近江市（1 名）、宮崎県日之影町（1 名）、鹿児島県立高等学校事務職員図書館担当（1 名）

7 月 18 日(日)　秋田県秋田市（2 名 ＊図書館での職務経験が 5 年以上の人）

8 月 2 日(月)〜 9 月 13 日(月)　石川県（2 名 ＊職務経験 3 年以上の人、一次試験は書類選考）

8 月 27 日(金)〜 9 月 5 日(日)　長崎県大村市（若干名 ＊一次試験は WEB テスティング方式）

8 月 27 日(金)　北海道別海町（1 名）

9 月 4 日(土)〜 19 日(日)　大阪府茨木市（1 名 ＊一次試験は SPI3）

9 月 12 日(日)　東京都（3 名）、大阪府（若干名）

9 月 19 日(日)　埼玉県滑川町（1 名）、千葉県浦安市（若干名）、千葉県大網白里町（1 名）、東京都調布市（若干名）、東京都西東京市（若干名）、石川県能登町（1 名）、石川県中能登町（若干名 ＊実務経験年数 8 年以上）、山梨県大月町（1 名）、三重県紀宝町（1 名 ＊居住条件あり）、岡山県新見市（1 名）、山口県岩国市（1 名）、佐賀県伊万里市（1 名）沖縄県南

風原町（若干名）

9月26日（日）　福島県（1名）、埼玉県（6名）、千葉県（1名）、神奈川県（2名 ＊主任司書）、岐阜県（若干名）、静岡県（2名）、三重県（2名）、奈良県（3名）、鳥取県（1名）、島根県（1名）、広島県（1名）、徳島県（2名）、愛媛県（1名）、高知県（1名）、福島県いわき市（1名）、福島県須賀川市（1名）、神奈川県横浜市（5名）、大阪府大阪市（1～4名）、大阪府吹田市（2名）、大阪府堺市（4名）、高知県高知市（3名）、山形県学校司書（若干名）、京都府学校図書館司書（若干名）、熊本県学校図書館事務（1名）、沖縄県学校司書（若干名）

10月11日（月）　兵庫県西宮市（若干名 ＊司書としての実務経験が5年以上）

10月17日（日）　島根県隠岐の島町（若干名 ＊司書として10年以上の勤務経験）

10月18日（月）～28日（木）　大阪府池田市（1名）

10月23日（土）　北海道歌志内市（1名）、宮崎県椎葉村（1名 ＊社会人として勤務した経験が通算して5年以上）

12月5日（日）　滋賀県彦根市（1名）

12月12日（日）　千葉県市原市（数名）、京都府宇治市（若干名）

1月16日（日）　岡山県岡山市（2名）

1月23日（日）　山梨県昭和町（若干名）、長崎県諫早市（若干名）

2月6日（日）　滋賀県（1名）、石川県珠洲市（1名）

3月6日（日）　滋賀県愛荘町（1名 ＊図書館法第2条に掲げる図書館において勤務経験が2年以上）

【2020年度】

4月22日（木）～5月20日（木）　福岡県宗像市（1名 ＊一次試験はSPI3）

5月10日（日）　栃木県宇都宮市（若干名）

5月18日（火）～27日（木）　東京都日野市（若干名 ＊一次試験はテストセンター方式）

6月14日（日）　新潟県柏崎市（若干名）

6月20日（土）　北海道幕別町（1名）

6月28日（日）　秋田県（1名）、神奈川県（4名）、山梨県（3名）、愛知県（若

干名)、大分県（3名）、福島県いわき市（1名）、富山県富山市（1名）、石川県金沢市（2名）

7月12日(日)　千葉県成田市（若干名）、神奈川県秦野市（若干名）、愛知県田原市（若干名）、滋賀県米原市（1名）、兵庫県猪名川町（1名）、岡山県津山市（1名）、鹿児島県高等学校等事務職員図書館担当（若干名）

7月19日(日)　千葉県浦安市（若干名）

7月23日(木)　秋田県秋田市（1名 ＊業務に係る職務経験があり、その年数が直近7年中に通算して5年以上ある方）

8月21日(土)〜31日(火)　奈良県生駒市（若干名）

9月12日(土)　大阪府吹田市（5名）

9月13日(日)　大阪府（若干名）、東京都日野市（6名）

9月19日(土)　広島県福山市（若干名）

9月20日(日)　神奈川県（2名）、愛知県（若干名）、北海道芦別市（若干名）、福島県白河市（1名）、千葉県松戸市（3名）、石川県白山市（若干名）、山梨県山梨市（2名）、山梨県都留市（若干名）、長野県大桑村（若干名）、岐阜県飛騨市（1名）、大阪府茨木市（1名）、大阪府熊取町（若干名）、大阪府貝塚市（5名 ＊司書として3年以上の職務経験がある人）、岡山県瀬戸内市（若干名）、愛媛県内子町（1名）、佐賀県唐津市（1名）、沖縄県うるま市（若干名）、沖縄県名護市（若干名）、沖縄県南風原町（若干名）

9月27日(日)　青森県（1名）、福島県（1名）、埼玉県（6名）、千葉県（1名）、新潟県（1名）、長野県（若干名）、岐阜県（若干名）、静岡県（2名）、三重県（1名）、奈良県（1名）、和歌山県（1名）、島根県（2名）、徳島県（3名）、熊本県（1名）、神奈川県横浜市（数人）、大阪府大阪市（数名）、大阪府堺市（4名）、京都府公立学校学校司書（若干名）、沖縄県学校司書（若干名）

10月5日(火)〜18日(月)　大分県別府市（2名 ＊図書館業務経験者）

10月12日(火)〜11月4日(木)　福岡県宗像市（1名）

10月18日(日)　神奈川県真鶴町（1名）、福井県あわら市（1名）

10月20日(火)　東京都多摩市（3名 ＊一次試験はエントリーシートによる書

類選考）

10月28日(水)　鳥取県琴浦町（1名）

11月 1日(日)　東京都調布市（若干名 ＊一次試験は書類選考）、鳥取県（1名）

12月 5日(土)　滋賀県愛荘町（1名 ＊公共図書館における勤務経験3年以上）

12月 6日(日)　岐阜県岐阜市（1名 ＊司書としての実務経験6年以上）

12月19日(土)　静岡県牧之原市（1名）

1月 9日(土)　滋賀県栗東町（1名）

1月16日(土)　兵庫県小野市（1名）

1月17日(日)　岡山県岡山市（2名）

1月24日(日)　山梨県富士川町（1名）

1月25日(月)　北海道様似町（1名）

1月30日(土)　静岡県熱海市（若干名）

2月 2日(火)　北海道雄武町（1名 ＊書類選考）

2月 7日(日)　滋賀県（1名）

3月14日(日)　奈良県河合町（1名）

【2019年度】

4月20日(土)　奈良県生駒市（若干名）

6月15日(土)　北海道十勝清水町（1名）、北海道広尾町（1名）

6月23日(日)　神奈川県（3名）、福井県（2名）、愛知県（若干名）、大分県（3名）、福島県南相馬市（1名）、千葉県浦安市（若干名）、新潟県五泉市（若干名）、石川県金沢市（2名）、兵庫県神戸市（若干名）

6月30日(日)　岡山県（3名）

7月14日(日)　鹿児島県立高等学校等事務職員（若干名）

7月28日(日)　神奈川県座間市（1名）、福井県あわら市（1名）、愛知県田原市（若干名）、滋賀県米原市（1名）、京都府京田辺市（1名）

9月 8日(日)　東京都（1名）、大阪府（若干名）

9月15日(日)　大阪府吹田市（3名）

9月22日(日)　神奈川県（2名 ＊主任司書）、愛知県（若干名）、埼玉県川口市（3名）、千葉県旭市（1名）、東京都調布市（若干名）、東京都多

　摩市（3名）、山梨県甲州市（1名）、大阪府枚方市（1名）、大阪府富田
　林市（1名）、兵庫県三木市（1名）、和歌山県新宮市（1名）、熊本県天
　草市（1名）、沖縄県那覇市（若干名）

9月29日（日）　青森県（1名）、福島県（3名）、茨城県（1名）、埼玉県（12
　名）、千葉県（1名）、岐阜県（若干名）、三重県（2名）、奈良県（2名）、
　和歌山県（2名）、鳥取県（3名）、島根県（2名）、広島県（1名）、愛媛
　県（1名）、高知県（1名）、熊本県（3名）、青森県八戸市（1名）、神奈
　川県横浜市（10名）、愛知県名古屋市（5名）、大阪府大阪市（数名程度）、
　大阪府堺市（4名）、京都府公立学校職員学校図書館司書（若干名）、
　沖縄県学校司書（6名）

10月20日（日）　岡山県瀬戸内市（若干名）、山口県岩国市（1名）

11月24日（日）　滋賀県近江八幡市（1名）

12月22日（日）　滋賀県彦根市（2名 ＊司書の経験が令和2年3月31日時点で
　通算3年以上ある者）

1月 4日（土）　鳥取県琴浦町（2名）

1月11日（土）　東京都調布市（若干名）

1月12日（日）　埼玉県三芳町（若干名）

1月19日（日）　千葉県流山市（1名）

1月26日（日）　京都府宇治市（若干名）、岡山県岡山市（2名）

2月 2日（日）　滋賀県（1名）

2月15日（土）　北海道厚岸町（1名）

③ 司書の採用試験を実施しない自治体

　図書館員の確保にさいして、「司書」としての採用試験を実施しない自治体
が残念ながら数多くあります。このタイプの自治体で図書館の仕事に就こうと
志望するさいは、一般（行政）職の採用試験を受け、採用後に司書資格の所持
を拠りどころに図書館へ配属されるのを期待するほかありません。司書の採用
試験を実施している自治体の場合よりもいっそう公務員試験の準備に相当の力
を注ぐことが不可欠で、図書館の仕事をしたいと望む受験者にとっては心もと
ない方式であり、意欲的な図書館職員を確保するのに決してよい方法とは言え

ません。

　ちなみに全国の公立図書館全体での正規職員に占める司書有資格者の比率
は、2020年4月1日現在53.0%です。府県別に司書の比率が高い順で見ると、
上位13位までは下記の表のとおりで、いずれも6割を超えています。

順位	自治体名	有資格者比率
1	滋賀県	82.9%
2	岡山県	77.9%
3	大阪府	76.6%
4	徳島県	71.4%
5	高知県	69.7%
6	山梨県	69.2%
7	京都府	68.0%
8	広島県	66.4%
9	鳥取県	66.1%
10	奈良県	65.8%
11	神奈川県	63.2%
12	富山県	62.9%
13	兵庫県	61.7%

　他方、山形県21.0%、群馬県26.3%と比率が低く、青森県、熊本県、宮崎県、
鹿児島県も30%台です。東京都も40.1%にすぎません（『日本の図書館　統計と
名簿』2020年版）。この比率から、自治体によって異なる司書の採用状況がう
かがえます。司書資格所持を特定した採用試験の実施状況については、正確な
全体の把握はできていませんが、この県別有資格者比率である程度の様態を推
察することができるでしょう。

2 │ 大学（短大）図書館

　国立大学、公立大学、私立大学によって採用制度は大きく異なります。

　国立大学の場合は、国立大学の法人化・高等専門学校の行政法人化により、2004年から制度が改正され、従来の国家公務員試験Ⅱ種試験の「図書館学」は廃止になりました。2004年からの採用試験は、北海道、東北、関東甲信越、東海・北陸、近畿、中国・四国、九州の七つの地区実施委員会により実施されています。

　一次試験は、7月の第1日曜日に全ブロックが同一日程・同一問題で実施され、一次試験合格発表は各ブロックにより日程が異なります。二次試験の専門試験は、全ブロックが同一日程・同一問題で実施され、範囲は図書館学概論、図書館資料論、資料組織論、図書館制度・経営論、情報サービス論等にわたっており、かつての国家公務員Ⅱ種図書館学試験と同水準のものとされています。面接は各大学の独自日程で行われます。原則、一つの地区ブロックしか受験できません。一次試験に合格すると、1年間有効の合格者名簿に登録され、二次試験の受験資格を得る事ができます。

　2021年度の場合、事務系共通の第一次が7月4日（日）、事務系（図書）の第二次試験のうち図書系専門試験が7月31日（土）に実施されました。過去の「国立大学法人等職員採用（図書系）二次試験」問題は、各地区の国立大学法人等職員採用図書系専門試験実施委員会のサイト等で公開されています。

　（参考）「2022年度 近畿地区国立大学法人等職員採用図書系専門試験案内」
　　　　https://www.kulib.kyoto-u.ac.jp/mainlib/examine/

　公立大学については、公立大学法人の事務職や技術職等の採用とは別途、必要が生じた際に司書採用試験を実施するところが多いようです。首都大学東京のように、年度途中の2019年7月1日付けで正規職員の司書職を採用した事例もあります。

　私立大学についてはまったく個々によって異なり、共通した説明は困難です

が、近年、図書館職員を一般の大学職員とは別に専門職員として採用するケースはほとんど見受けられません。大規模大学では特にその傾向が強く、残念ながら「図書館員」と特定して大学に採用される可能性は極めて少ないと言わねばなりません。「図書館員」としての専門性よりも、大学職員であることをまずは求める、という昨今の大学経営上の考え方によるものです。したがってその場合は、大学あるいは大学を含む学校法人職員の採用試験を受け、採用後に図書館へ配属されることを期待するほかありません。ただ、司書資格を有していると図書館への異動のチャンスが他の職員よりは高くなると考えられます。

　また、図書館運営を民間企業に委託する大学も増えています。そのような大学図書館では、統括ポストに大学の正規職員が就く以外、現場スタッフは全員、受託事業者に所属し、そこから派遣された者ということになります。

　文部科学省の「学術情報基盤実態調査」(旧大学図書館実態調査)による図書館職員数（括弧内は専任職員数）の推移は下記の通りです。この間、大学数は523から795へと増加しています。それに比べ図書館職員数、特に専任職員数が減少していることが顕著です。

年度	国立大学	公立大学	私立大学	計
平成 4 年 （1992 年）	3,984 (2,519)	517 (421)	7,624 (5,259)	12,125 (8,199)
平成 14 年 （2002 年）	3,866 (2,149)	803 (485)	8,806 (4,943)	13,475 (7,577)
平成 19 年 （2007 年）	3,760 (1,858)	791 (374)	8,488 (4,079)	13,039 (6,311)
平成 29 年 （2017 年）	3,661 (1,589)	737 (252)	6,065 (3,070)	10,463 (4,911)
令和 2 年 （2020 年）	3,493 (1,518)	724 (275)	5,534 (2,866)	9,751 (4,659)

3 学校図書館

　Ⅱ章でも示した通り、文部科学省が都道府県教育委員会の協力を得て隔年に実施する「学校図書館の現状に関する調査」の 2020 年 5 月調べでは、法に定めのある司書教諭の発令は、12 学級以上の学校では 100％に近いですが、それ未満の学校では 3 割程度にとどまっています。

　司書の採用試験が行われるのは、職種として「学校図書館司書」を制度化している場合で相当数の府県の公立高校、ごく少数の自治体の義務教育学校、それに私立学校の一部です。図書館教育を重視する私立学校では専任の司書教諭を採用するケースもわずかながらあります。

　公立高校の図書館には 6 割強に専任の職員が配置されていると言えますが、その置かれ方や身分がさまざまで、公開の採用試験が行われるには、「学校図書館司書」が一つの職種として確立していることが前提になります。「（学校）事務職員」、「実習助手」や「業務員」の身分で図書館の仕事をしている場合には、採用にさいして何らかの選考はなされるにしても、それが図書館の仕事をする人の採用とは言えない弱さが残ります。

　「学校（図書館）司書」を職種として認めている場合は、公立図書館と共通試験で行うケースと学校図書館司書で単独に実施するケースがあります。前者には福島県、埼玉県、東京都、神奈川県、三重県、奈良県、鳥取県、岡山県、徳島県などがあり、後者には京都府、熊本県、鹿児島県などがあります。後者の県でも「学校司書」としての独自の位置づけの強弱があり、採用後に県立図書館との間で人事交流が行われるケースもあります。2021 年度は山形県学校司書、京都府公立学校図書館司書、鹿児島県立高等学校等事務職員（図書館担当）、熊本県学校図書館事務、沖縄県学校司書、2020 年度は京都府公立学校図書館司書、鹿児島県立高等学校等事務職員（図書館担当）、沖縄県学校司書などの採用試験が実施されました。

　義務教育学校の司書となるとその配置状況からしていっそう進路は限られ、採用の仕組みも一律ではありません。単独で採用試験を実施する自治体はごく

一部に限られています。2020 年から順次実施される新しい学習指導要領には、討論や発表などの「主体的・対話的で深い学び」（アクティブ・ラーニング）につながる授業改善が重点項目の一つとされており、これを実現するには、学校図書館の充実が不可欠とされています。また、住民からの強い要望もあって義務教育学校に専任の「人」を置く自治体が増えつつありますが、身分が非常勤嘱託員や臨時職員、雇用に期限があるなど問題を多く残しています。近年の動向として採用の機会は少なくありませんが、その場合の採用形態もさまざまです。

『全国の学校図書館に人を！の夢と運動をつなぐ情報交流紙　ぱっちわーく』（2017 年 3 月、286 号をもって終刊）には毎号、各地の学校図書館職員の公募情報が掲載されていました。どのような採用形態があるのか、参考までに 2017年 1 月号と 2 月号に掲載された内容の一部を次頁に紹介します。

応募要件として、司書あるいは司書教諭の資格を有することが条件とされているケースがほとんどです。問合せ先は、各自治体の教育委員会学校教育課や学校指導課となっています。

学校司書の配置は 2014 年 6 月に学校図書館法が改正され、学校司書の法制化がなったことで、大きく背景が変わりました。

> 第 6 条　学校には、前条第一項の司書教諭のほか、学校図書館の運営の改善及び向上を図り、児童又は生徒及び教員による学校図書館の利用の一層の促進に資するため、専ら学校図書館の職務に従事する職員（次項において「学校司書」という。）を置くよう努めなければならない。

学校司書の配置が努力義務となりました。学校司書を明示し「その配置に努めなければならない」というに至ったのです。この改正に関連して、2016 年11 月、文部科学省初等中等教育局より大学等の高等教育機関に対して「モデルカリキュラムをふまえた授業科目の講座や履修証明プログラムの実施など、学校司書の養成」に協力してほしいむねの通知が行われました。これをもとに、

自治体名	職　名	雇用期間	報　酬	募集人数
茨城県龍ヶ崎市	学校図書館司書嘱託員	1年雇用 ＊週25時間以内	時給930円 ＊交通費支給	17名
埼玉県狭山市	学校図書館司書	1年雇用 ＊1日5時間 週2〜5	時給870円 ＊交通費100円	若干名
千葉県浦安市	学校司書	＊1日6時間 週5日	時給1,100円 ＊交通費支給	
千葉県野田市	学校図書館司書	1年雇用 ＊1日6時間 年80日	時給882円 ＊交通費支給	4名
東京都足立区	学校図書館支援員	1年雇用（更新あり） ＊年間205日勤務	月額142,000円 ＊通勤手当なし	2名
東京都中野区	学校図書館指導員	1年雇用 ＊1日4時間 月16日	月額96,000円 ＊交通費支給	若干名
東京都武蔵村山市	学校司書嘱託員	1年雇用（更新あり） ＊1日6時間 週4日	時給1,050円	若干名
神奈川県厚木市	学校司書	学期ごとに任用 ＊週15時間以内	時給930円 ＊交通費支給	登録者の募集
神奈川県藤沢市	学校図書館専門員	1年雇用 ＊1日7時間 月8日	月額57,120円 ＊交通費支給	
愛知県田原市	学校司書	1年雇用 ＊1日7時間	月額200,000円 ＊通勤手当なし	若干名
滋賀県東近江市	学校司書	半年雇用（更新あり） ＊フルタイム	日額7,000円 ＊交通費支給	12名
大阪府狭山市	学校図書館司書	1年雇用 ＊1日5時間	時給1,000円	若干名
岡山県岡山市	嘱託司書	＊週36時間以内	月額166,200円 ＊交通費支給	若干名
岡山県倉敷市	嘱託司書	1年雇用（更新あり） ＊週30時間	月額159,000円 ＊交通費支給	13名
香川県高松市	学校図書館指導員	1年雇用 ＊1日6時間	月額154,300円 ＊交通費支給	30名
佐賀県佐賀市	学校図書館事務	1年雇用（更新あり） ＊1日6時間 週5日	月額147,000円	13名

司書課程を有する大学ではモデルカリキュラムを実施するところが増えてきています。今後、正規職員としての学校司書の配置が進むことを願うばかりです。

（参考）一般財団法人日本私学教育研究所「教職員募集情報」
　　　　http://www.shigaku.or.jp/employ/recruit.html

　このサイトでは、都道府県私学協会加盟の私立学校（中学校・高等学校。一部小学校を含む）から寄せられた教職員募集情報の概要を閲覧に供しています。教科「その他」の欄に学校司書の求人情報が掲載されることがあります。

4 | 専門図書館

　専門図書館と一口に言ってもその中身は地方自治体、民間の企業体、研究機関、病院、法人や財団など設置者がさまざまで、極めて多岐にわたります。それぞれに根拠法がある他館種と異なり、専門図書館では議会図書室のみが地方自治法に基づいています。設置機関（親団体）の目的・業務遂行に資する資料・情報サービスが主たる任務で、名称も必ずしも「図書館」と称するものばかりではなく、情報センター、資料室（部）などさまざまです。専門図書館というと「組織内に限定したサービス」「組織のための図書館」と捉えられがちですが、下記の表のとおり、広く一般に公開されているところも多く存在します。3年ごとに発行される国内唯一の専門図書館ディレクトリーである『専門情報機関総覧2018』には、1,645機関の専門情報機関が収録されていますので、どのような専門図書館があるかを調べるにも役立ちます。

◆『専門情報機関総覧2018』採録専門図書館の公開状況

公開状況	図書館数	割合（％）
公開機関	991	60.2
限定公開機関	475	28.9
非公開機関	179	10.9
計	1,645	100.0

　こうした特質から、その採用方法もさまざまです。特に民間の企業体の場合はその親団体（企業）の職員になることが基本ですので、まずはその企業に採用されることが先決です。司書としての固有の採用はごく稀なケースにとどまると考えた方がよいでしょう。会員でなくても無料で購読できる専門図書館協議会のメールマガジンに、会員館の司書採用情報が掲載されることもありますので、専門図書館員の仕事に関心のある方は目配りされるとよいでしょう。地方議会の図書館員については、公立図書館の司書と同じ試験で採用し、司書を配置する職場の一つと指定されている自治体もあります。

5 ｜ 国立国会図書館

　国会へのサービスと国立中央図書館という性格をあわせ持つこの図書館では、独自の採用試験が実施されています。大学卒業程度を対象に、総合職試験と一般職試験、資料保存専門職員採用試験が行われます。総合職試験は政策の企画立案に係る高い能力を有するかどうかを重視し、一般職試験では的確な事務処理に係る能力を有するかどうかを重視するという違いがあります。

　総合職試験及び一般職試験（大卒程度試験）は、調査業務、司書業務、一般事務等の館務を行う国立国会図書館の職員を採用するものです。資料保存専門職員採用試験（大卒程度試験）は、各種図書館資料の保存修復業務等を行う国立国会図書館の職員を採用するものです。受験にさいして「司書」資格の有無は問われません。

　申し込むことができる試験の種類は、総合職試験、一般職試験（大卒程度試験）又は資料保存専門職員採用試験（大卒程度試験）のうち１種類に限られます。ただし、総合職試験受験者については、特例制度（総合職試験に不合格となった場合に、一般職試験（大卒程度試験）の受験者としての取扱いを受けることができる制度）を利用することができます。

　国立国会図書館のウェブサイトでは、組織・業務内容・キャリアパス、採用後の処遇、先輩からのメッセージ、過去の試験問題などが閲覧できます。また、職員採用試験速報として、申込者数から第１次、第２次、第３次の合格者数を経て最終合格者数や倍率まで、随時ウェブサイトで公開されています。

124

◆ 総合職試験、一般職試験（大卒程度試験）

	総合職試験	一般職試験 （大卒程度試験）	試験時間
第1次試験	教養試験（多肢選択式・共通）		120分
第2次試験 ※1	専門試験（記述式・共通）　※2		90分
	専門試験（記述式）　※3		30分
	英語試験（記述式・共通）		60分
	小論文試験　※4		60分
	人物試験（個別面接）		
第3次試験	人物試験（個別面接）		
	人物試験（集団討論）		

※1　総合職試験、一般職試験（大卒程度試験）ともに、第2次試験の際、質問紙法による性格検査を行い、人物試験の参考とします。
※2　専門試験科目は、受験申込時に次の科目から1科目を選択
　　法学（憲法、民法、行政法、国際法から受験時に2分野選択）、政治学、経済学、社会学、文学、史学（日本史、東洋史、西洋史から受験時に1分野選択）、図書館情報学、物理学、化学、数学、工学・情報工学（工学全般、情報工学から受験時に1分野選択）、生物学
※3　法学の総合職試験独自の問題は、共通問題で選択した2分野から1分野を選択します。史学、工学・情報工学については、共通問題で選択した分野でのみ受験可能です。
※4　総合職試験の第2次試験合格者の決定は、専門試験、英語試験及び人物試験の成績を総合して行います。小論文試験は、総合職試験第3次試験における評定に用います。

《参考》2022年度の試験日
　　第1次試験　5月21日（土）　東京および京都会場
　　第2次試験【筆記試験】6月18日（土）
　　　　　　　【人物試験】6月22日（水）～24日（金）、27日（月）～30日（木）、
　　　　　　　　　　　　　7月4日（月）のうち指定する日　＊オンラインで実施
　　第3次試験【人物試験】7月26日（火）～28日（木）のうち指定する日

6 ｜ 司書の採用試験に備えて：基本文献ガイド

　司書の採用試験に向けての準備、学習となると、第Ⅴ章の先輩たちからの助言がこもごもに語ってくれるように、まずは受験しようとする図書館について知ることと、その図書館の採用試験の過去の問題に挑戦することが必須でしょう。受験する図書館について調べるためには、『図書館年鑑』、『日本の図書館』、それにその図書館の毎年の『要覧、年報』類が重要です。

　図書館学の専門知識全般についての整理には、「これ一冊」となると『図書館ハンドブック』を多くの人が活用し、推奨するようです。もちろんみなさんがこれまで履修してきた司書課程のテキスト、教材類を読み直し、知識の整理をしておくことも有効でしょう。

　　ここでは司書（公立図書館）の採用試験に備えてぜひとも読んでおきたい基礎的な文献をいくつか紹介します。

［総合］
- 『図書館ハンドブック』第6版補訂2版　日本図書館協会　2016年
- 『図書館年鑑』（年刊）　日本図書館協会
- 『日本の図書館：統計と名簿』（年刊）　日本図書館協会
- 『図書館情報学基礎資料　第4版』今まど子・小山憲司編著　樹村房　2022年

［図書館の理念］
- 『図書館学の五法則』ランガナタン著　森耕一監訳　日本図書館協会　1981年
- 『「図書館の自由に関する宣言1979年改訂」解説』2版　日本図書館協会　2004年
- 『図書館の自由委員会の成立と「図書館の自由に関する宣言」改訂』塩見昇著　日本図書館協会　2017年
- 『図書館の原則　改訂5版』川崎良孝他訳　日本図書館協会　2022年
- 『「図書館員の倫理綱領」解説』増補版　日本図書館協会　2002年

126

[公共図書館の運営、活動]

- 『中小都市における公共図書館の運営』日本図書館協会編・発行　1963 年
- 『市民の図書館』日本図書館協会編・発行　1970 年（1976 年増補版刊行）
- 『これからの図書館像：地域を支える情報拠点をめざして』文部科学省・これからの図書館の在り方検討協力者会議編　文部科学省　2006 年
- 『公立図書館の任務と目標　解説』改訂版増補　日本図書館協会図書館政策特別委員会編　日本図書館協会　2009 年

[図書館用語、事項の理解]

- 『図書館用語集』4 訂版　日本図書館協会　2013 年
- 『図書館情報学用語辞典』第 5 版　丸善　2020 年
- 『最新図書館用語大辞典』柏書房　2004 年

[図書館法]

- 『図書館法』西崎恵著　日本図書館協会　1991 年（原版は 1950 年、羽田書店）
- 『新図書館法と現代の図書館』塩見昇・山口源治郎編著　日本図書館協会　2009 年

[採用試験の対策問題集]

- 『図書館職員採用試験対策問題集　司書もん』第 1 巻第 2 版－第 3 巻第 2 版　後藤敏行著　図書館情報メディア研究会　2020 年

[雑誌]

- 『図書館雑誌』（月刊）　日本図書館協会
- 『みんなの図書館』（月刊）　図書館問題研究会
- 『図書館界』（隔月刊）　日本図書館研究会

[V]

私はこうして
夢を実現しました
先輩からの励ましと助言

📚 私が公共図書館の司書になるまで

山本　明日香

　私が司書を志そうと思ったのは、高校生の時でした。自分の好きなことを一生の仕事にしたいと思い、「本に携われる仕事」ということでなんとなく司書を選び、専門の学科がある大学へ進学しました。

　大学の講義のなかで、司書経験のあった先生方から、正規の司書職員になることの難しさや、就職した後の大変さなどを聞きましたが、それ以上に、図書館の魅力や奥深さを教わりました。大学３年生であらためて、司書になろうと決意しました。いくつも採用試験を受けた結果、岡山県玉野市の司書職に合格することができました。そこで、学校司書として４年勤務した後、横浜市に転職し、公共図書館の司書として、現在３年目を迎えています。

〈現役時代の公務員試験対策〉

　私は、大学２年生の秋から、学部で放課後に開講されていた「公務員試験準備講座（教養模擬試験）」を受講していました。ここでは、公務員試験の教養試験の問題を実戦形式で解くことをメインに行いました。教養試験対策は、この準備講座への出席と、この準備講座を始めるさいに購入した実務教育出版のテキストを中心に行いました。専門試験対策は、司書をめざす友人たちと大学図書館を利用して行っていました。過去問を各々で解き、それを持ち寄って答え合わせをし、わからない部分は大学図書館の資料で調べたり、大学の先生に教えていただいたりしながら解決していきました。

　また、司書職の採用情報を共有することもありました。小さな市町村の採用情報などは見落としがちなので、情報交換できる場が身近にあることは、とてもありがたいことでした。普段自分で勉強するときには、過去問を解くほかに、『図書館情報学用語辞典』（丸善出版）や、『図書館学基礎資料』（現在の書名は『図書館情報学基礎資料』（樹村房））を通読し、用語や法律などの確認をしました。

　大学の先生方からは、司書の採用が全国的に少ないことを再三言われていました。また、現役で正規職員の司書になるには、相当の努力が必要であり、地域を問わずどこにでも行く覚悟でなければ合格は難しい、とも聞いていました。

　そこで、私は司書職に就くために、日程のかぶっていない司書採用試験を地域を問わず徹底的に受けることにしました。また、司書職に受からなかった場合のことも考えて事務職もいくつか受験しました。

　本当に多くの採用試験を受けましたが、一次試験すら通らず焦ることもありました。しかし、「公務員試験準備講座（教養模擬試験）」の担当の先生に、受け続けることで試験慣れしてくるので、年度の後半まで諦めないことが大切であるとうかがい、ひたすら採用試験を受け続けました。そのような状況のなかで、秋ごろに受けた岡山県玉野市の採用試験に合格することができ、そこで正規の司書職としての就職が決まりました。

　玉野市では、学校司書として小学校で３年間、中学校で１年間勤務しました。最初は、想定外の学校司書に配属されたことに、戸惑いと不安が大きかったのを覚えています。前任の方をはじめ、先輩学校司書の方々にノウハウを教えていただき、また着任校の児童・生徒や先生方にも恵まれ、４年間毎日やりがいをもって働くことができました。しかし、公共図書館の司書として働きたいという思いがずっと捨てきれず、社会人３年目にもう一度公務員試験を受験し、公共図書館の司書をめざすことを決めました。

〈二度目の公務員試験〉

　二度目の公務員試験は、仕事をしながらの受験であったので、手あたり次第たくさんの自治体を受けるわけにはいきません。そこで、受験する自治体を絞り、長いスパンで挑もうと決めました。横浜市を受験したのは、その当時、毎年継続して司書職の募集を行っており、市の図書館に将来性があると感じたためです。また、横浜市内の小中学校では学校司書の全校配置が完了したばかりであったので、私の学校司書としての経験を公共図書館の側から生かせるのではないかとも考えました。

　教養試験の勉強は、テキストや過去問を使って行いました。専門試験の勉強は、『図書館情報学用語辞典』や『図書館学基礎資料』の通読などを、休日を中心に行っていました。こちらは、教養試験と違い、日ごろ行っている業務を言語化して確認しているような部分も多くあったため、毎日の仕事と丁寧に向き合うことが対策になっていたように思います。時間がある時は、岡山県内の

学校司書が集まる自主学習会などにも参加し、翌日から業務に生かせるような実践内容や、その時々の全国の学校図書館の動向などを聞いたりしました。公共図書館についても、情報交換を行うことがありました。

　その他、外出先の公共図書館に立ち寄るなどして、動向を随時チェックしていました。図書館に関する講演を聞きに行くこともあり、学校司書としての仕事も、公共図書館司書への就職も頑張ろうと、帰り道に気合を入れることもありました。

　横浜市の受験を決めたのは、社会人３年目で、学校司書としての仕事が軌道に乗ってきたところであったため、自分のなかで仕事の優先順位が高く、試験勉強ははかどりませんでした。採用試験を受けたものの、一次試験で落ちてしまいました。翌年は、中学校への異動もありましたが、仕事と勉強を両立するコツをつかみ、前年に比べて勉強時間を確保することができました。社会人４年目に受けた横浜市の採用試験で合格し、私は横浜市の司書になりました。

〈これから司書をめざす人へ〉

　私が、司書採用試験を受けるうえで、今一番大切であると思うことは、モチベーションの保ち方です。司書になりたいと思いながら採用試験をいくつも受け、合格するまで勉強を続けていくのは、精神的にも体力的にも本当に大変です。先が見えないなかでも、私にとって励みになっていたのは、一緒に司書をめざす仲間やまわりにいる他の先輩司書、利用者として図書館に来館する児童・生徒の姿でした。そして、今ではそれが仕事のモチベーションの一つになっています。もし、司書になろうと努力をしている人がいたら、少しまわりを見て自分がなりたい司書像や、一緒に頑張れる仲間を探してみると良いと思います。

　公共図書館の司書になって思うことは、本当に日々勉強で終わりがない、ということです。大学時代に、10年務めてやっと一人前の司書になると聞いたことがありましたが、とても10年では足りそうにありません。利用者の数だけレファレンス質問があり、選定する資料は尽きることがありません。私は、資料と利用者の出会いは一期一会と考え、その時にできるベターな資料や情報の提供を心がけて働いています。これから、21世紀を通じて、情報メディアの形態や情報システムのあり方などが変化するなかで、図書館や司書に求めら

れることも変化していくでしょう。私は、司書の役割や可能性がさらに広がる
と信じて、模索し、司書としての努力を続けていきたいと思っています。

ⅢⅢ ポイントは「受験する図書館を知る！」

佐藤　　悠

　大阪市立中央図書館で司書として働きはじめて3年半ほどが経ちました。今
回、合格体験記を作成する機会をいただきましたので、採用試験の個人的経験
や対策を紹介します。

〈司書志望のきっかけ〉

　私は京都府内にある私立大学の文学部に入学し、日本史を学んでいました。
教員免許や学芸員資格の課程は受講していましたが、司書を進路には考えてお
らず、卒業後は京都市内にある民間企業で働きました。しかし、その会社と合
わなくて1年半ほどで退職し、日本史にかかわれる仕事がしたいと考え、出身
大学の大学院に進学しました。

　大学院では日本史研究について学びながら、前期課程修了後の進路をあらた
めて考えました。前期課程を修了することで教員免許が専修免許になることも
あり、中学社会や高校地理歴史の教員を考えていましたが、空いた時間に司書
教諭科目を受講して、司書のことを知りました。

　研究のため、大学図書館を日常的に利用していたことやレファレンスに興味
をもったので、司書課程も受講することにしました。大学院の春学期のことで
したので、実際の司書課程の受講は秋学期から始まりました。

　大学院の前期課程の講義、修士論文の研究に加え、司書課程の科目を1年半
でつめこむことになり、学部生のころに比べて多忙になってしまいました。将
来、専門職に進むことを考えている場合は、可能な限り学部生の間に資格取得
を行った方がよいと思います。

〈採用試験の情報収集〉

　大学院は2年で修了する計画を立てていたので、当然、2年目から採用試験を受け始めました。当時、京都市内に住んでいた私は、京都が好きなので、京都から離れたくない、離れるとしても京都市内から1時間以内で移動できる地域で司書として働きたいと考えました。そのため、近畿地方の自治体の受験を考え、採用試験の情報を集めました。

　採用試験の情報は、主にインターネットの個人ブログと司書課程の講師から入手しました。個人が運営するブログ「公共図書館（公務員）・国立大学図書館の司書になる！」（http://bookserial.seesaa.net/）を毎日チェックしていたと思います。現在も更新が続いており、全国の自治体等の採用情報を網羅的に掲載しているので、司書を志望するなら必見のブログです。

　採用試験は、大阪市を含めて六つの自治体と国立国会図書館を受験しました。当初は司書の採用試験の機会はそれほど多くはないと思っていましたから、予想より多く受験できたというのが感想でした。

〈試験対策について〉

　司書の採用試験は、自治体の職員採用試験を受験することと同義ですから、多くの場合、教養試験が課されます。教養試験と専門試験を同時に課し、教養試験の合格者についてのみ専門試験を採点することを明示している自治体もあります。したがって、教養試験にまず第一に取り組む必要があります。

　自治体によっては、教養試験の代わりにSPI（Synthetic Personality Inventory）試験を課すところもあります。いずれの形式の試験であっても、近年は多くの参考書が出版されているので、自分にあう参考書を見つけて、それをくり返し使って勉強しました。その他、一般教養のなかで、いわゆる数的処理の問題については、別に参考書を買って対策をしました。

　図書館学に関する専門試験ですが、後藤敏行『図書館職員採用試験　対策問題集　司書もん』（図書館情報メディア研究会、2014年）のシリーズや、自治体の採用試験情報のwebページで公開している過去問題で対策しました。実際の試験では問題用紙は回収されることも多いので、試験が終わったらすぐに、問題を思い出して復習を行い、次の試験に備えました。

　また、所属大学に司書や図書館学の学生勉強会がありましたので、時おり参加もしていました。

〈面接対策について〉

　面接で大事なのは事前準備と、ある程度の慣れと運だと思います。事前準備に関しては、志望動機を考えることから始まります。なぜ司書なのか、なぜ公共図書館なのか、なぜその自治体なのかを自分の考えに基づいて、志望動機を考える必要があります。このさいに重要になるのが、受験する図書館を知ることです。

　試験前にその図書館を見学したり、図書館の web ページを確認したり、自治体の総合計画などを確認して、その図書館が何に力を入れてサービスを展開しているかなどを確認するのは必須だと思います。近年は、Twitter や Facebook などの SNS を使って情報発信をする図書館も増えていますので、随時チェックする必要もあると思います。

　民間企業を受験せず、公務員試験のみに専念すると、面接試験の回数そのものは多くないので、その分、事前に練習をする必要があります。実際に志望動機などを口にしてみて、ある程度すらすら言えるようにするのは必要です。面接には自然体で臨むことは大事ですが、緊張のあまり、事前に考えていたことが口に出せずに終わってしまうことは合否にかかわらず、悔しい思いをしますので、事前に練習をしましょう。少し恥ずかしい思いをしましたが、司書課程の先生に面接の練習をお願いしたりもしました。

　また、受験先の図書館を知るうえで、できたらした方がよいことに卒業生などへの OB 訪問があります。さいわい自分の出身大学にさまざまなツテがありましたので、そのツテを使って OB を訪ね、採用試験の経験談や業務内容などのインタビューを行いました。その図書館を調べたうえで、疑問に感じたことや実際のキャリアを質問する事で、志望動機の参考になると思います。なお、私は 2 か所の受験先の OB 訪問を行い、そこには採用されませんでしたが、今も OB 訪問をしていただいた方とはつながりがあります。

　その他の面接対策については、エントリーシートや履歴書にそって行われるので、提出した履歴書などは控えておいて、事前に見直したり、定番の面接質

問については答えをある程度準備をしておきましょう。

　面接では絶対にこの自治体で司書として働くという意志を見せましょう。面接の評価については明らかにされてないし、私が採用された理由も未だに聞けていなく、縁があったから採用されたのかもしれませんが、上記のような準備、対策がある程度合格につながったのではと思います。

　あくまで個人の経験談に基づいて書きましたが、司書をめざしている方のお役に、少しでも立てれば幸いです。

📚 司書をめざすみなさんへ

板橋　　愛

　2018 年 4 月から国立大学図書館で働き始め、今年で 2 年目になります。司書としても社会人としても経験が浅い身ですが、まわりの先輩方に支えていただきながら勉強の毎日です。

　今回合格体験記を書くにあたって、私が学生のころ、司書試験に向け勉強するうえで知りたかったこと、何を頼ればよいかわからず困ったことを思い返してみました。司書採用試験を受けようと考えているみなさん、特に学生の方にとって、少しでもお役に立てればと思います。

〈司書への道〉

　司書という仕事に興味をもったのは、中学生のころ、学校司書の方に出会ったことがきっかけでしたが、実際に職につけるとは考えていませんでした。というのも、司書の正規職員として採用されるのはかなり狭き門であると、あらゆる職業紹介本に書かれていたためです。ですから、大学 1 年生から司書課程を選択していたものの、進路先として図書館での勤務を本格的に視野に入れたのは、就活のための自己分析を始めた 3 年生になってからでした。

　「仕事を通してさまざまな人とかかわりながら、日々研鑽を積み、学び続けたい」という目標が、まさに司書という仕事に当てはまるように感じ、図書館で働きたいと強く思うようになりました。資格講座は受講していたものの、司

書試験についてはほとんど無知でした。そこで、当時奈良大学で司書課程を担当されていた家禰淳一先生の研究室にうかがい、試験についてご指導いただきながら具体的にプランを立て、勉強を開始しました。

　図書館と言っても、公共図書館、大学図書館、専門図書館など幅広い館種があり、採用試験もさまざまです。私は、市立図書館、県立図書館、大学図書館等四つの図書館を受けました。ここからは、一般的な試験内容である「教養試験」「専門試験」「面接試験」の三つについて、私の試験対策の実際をお話したいと思います。

〈教養試験〉

　教養試験については、市販の公務員試験対策用の問題集を購入し、独学で取り組みました。独学にした理由の一つは、進路の方向性を決めた時期が遅く、大学で受講できる予備校の公務員対策講座の受講開始に間に合わなかったこと、もう一つは、自分のペースで勉強を進めたいと思ったことでした。教養試験の過去問は図書館の採用ホームページに掲載されていることが多いので、それを参考に傾向と対策を分析し、自分の得意・不得意分野をふまえてどの分野に重点を置くべきかを考えました。私の場合は不得意分野に特に時間をかけ、得意分野をはさみながら、自分のモチベーションを保てるように工夫していました。また、1日にすべての教科に手を付けるのは難しいため、文理それぞれに満遍なく取り組めるように、曜日ごとに教科を決めて取り組みました。

　ここでポイントになるのは、毎日予定を詰め過ぎずに「予備日」を設けることです。計画通りに勉強が進まない日が出てくるのは当然ですので、調整日を1日でもつくっておくことが継続的な勉強の助けになったと感じています。

　さらに、予備校で開催される有料の模試を数回受験しました。実際の試験の臨場感を味わえたことは、とても良い刺激になりました。

〈専門試験〉

　専門試験の対策としては、主に『司書もん：図書館職員採用試験対策問題集』（後藤敏行著　図書館情報メディア研究会）に一から取り組み、司書講座の教材も合わせて暗記用ノートにまとめながら勉強しました。また、家禰先生の研究室

に定期的にうかがい、答え合わせやわからない問題の解説をお願いしていました。この問題集をくり返し演習することで、公共・大学などあらゆる図書館の試験に対応可能な基礎知識を身につけることができます。

そのほかに『図書館ハンドブック』、『図書館情報学基礎資料』等も参照しました。これらの教材で基礎知識をある程度マスターした後は、各図書館のホームページに掲載されている採用試験の過去問に取り組みました。

〈面接対策〉

面接対策としては、大学のキャリアセンターが実施している面接対策講座を受けました。職員の方が事前に調査してくださった出題傾向をもとに、個室でビデオ撮影をしながらの練習でした。ビデオ撮影は、後で見返すことで表情や受け答えを客観的に分析できます。この手法は、大学の資格対策講座「秘書検定取得講座」を受講したさい、面接対策として勧められた方法でもあるので、ぜひ実践してみてほしいと思います。このほかに、友人と質問を出し合いながら面接練習をしたこともありました。

これらの試験対策の時間配分としては、教養：専門：面接＝６：３：１程度でした。一次試験の教養試験を突破しないことには次のステップには進めませんので、まずは教養試験対策に重点を置くようにしていました。

〈最後に大事だと思うこと二つ〉

最後に、司書試験をめざすうえで特に重要だったと感じる２点を以下に挙げてみたいと思います。

一つは、「情報収集を怠らないこと」です。試験情報はもちろん、説明会や、過去問の情報などを集めることは、試験準備の半分を占めるといっても過言ではありません。私の場合は、先生や、同じく公務員をめざす友人に話を聞くことから始め、各図書館の採用試験ホームページ、さらには司書試験についてまとめた個人のブログまで、幅広く目を通すようにしていました。いくつもの試験を並行して受験するさいは、収集した情報を自分のスケジュールとあわせて管理することも重要です。

二つ目は、机に向かってばかりでなく「外に出てさまざまな体験をしてみる

こと」です。就活に直接かかわらないことでも、いろいろとチャレンジすることが視野を広げるきっかけになるということをみなさんにお伝えしたいです。私自身、学生時代に体験した多くのことが、採用試験を通してさまざまな面で活かされたように思います。例えば、接客業のアルバイト経験は、人と接する仕事に就きたいと考えるきっかけになりましたし、秘書検定取得講座で身につけたマナーや接遇は、面接対策に大いに役立ちました。また、書店の営業職のインターンシップや、日本図書館研究会主催の研究大会に参加させていただいた経験は、就職へのモチベーション向上につながりました。

　こうした経験は、採用試験だけでなく、就職後にも必ずどこか思わぬところで役に立つものだと、いまあらためて実感しています。「司書試験に合格する」という大きな目標を掲げたみなさんが、その目標を達成し、さらにその経験をも糧として素敵な司書となられることをお祈りしております。

📚 いろいろな"きっかけ"を経て

塚本　麻衣子

　私は現在、国立大学の図書館で働いています。今回、こうして執筆の機会をいただき、あらためて私の司書になるまでの道のりをふり返ってみると、私が司書という仕事に興味をもったこと、図書館を自分の職場として選んだことは、必然だったのかもしれないなと思います。そう思った理由もふまえて、私が司書になるまでの道のりを書かせていただきたいと思います。

〈図書館で働くのもいいな、と思ったきっかけ〉

　私の地元には、小さいですが図書館があります。私の家からは徒歩で行ける距離で、物心ついた時から足しげく通っていました。今思えば、あの小さな図書館が私の出発点でした。

　中学生の時に職場体験の授業があり、私は体験先にその図書館を選びました。幼いころから馴染みがあり、「いつかは本関係の仕事がしたいな」と漠然と考えていたからです。この時は、まだ図書館で働くという意思はありませんでし

た。職場体験では、通常の貸出・返却等の業務に加え、保健センターにおもむいて検診に来た乳幼児のお母さんに読み聞かせキットを渡すブックスタートのお手伝いをしたり、公民館に集まった小さな子に紙芝居を読み聞かせるなど、短い期間でさまざまな業務を体験させていただきました。

　それまで、私は図書館に対して「本がたくさんある夢のような場所」というイメージしかもっていませんでしたが、図書館という施設が地域に積極的にかかわっているところを、曲がりなりにも図書館員の立場から見ることで、そのイメージはがらりと変わりました。同時に、図書館という場所、司書という仕事の奥深さを知り、「司書って面白い」「図書館で働くのもいいかもしれない」とやはり漠然と思い始めたのです。その漠然とした夢が明確な目標になったのは、数年後、大学生になった時でした。

〈夢が目標になったきっかけ〉

　正直なことを言うと、大学生になるまで、司書という職業は当時考えていた未来の選択肢の一つにすぎませんでした。司書資格が取れる大学に入ったのもたまたまで、資格を取ろうと思った理由も「授業を受けるだけで資格が取れるなら取っておくか」という、お恥ずかしながらあまり積極的なものではありませんでした。

　ですが、いざ司書の勉強を始めてみると、その内容が予想外に面白く、また図書館という施設がどういう役割を持ち、地域や人々にとってどのような存在なのか、より深く知ることで「図書館で働いてみたい」という気持ちが日に日に強くなっていきました。そして気づいた時には、数ある選択肢の一つでしかなかった司書という職業が、将来実現したい目標となっていたのです。そこから、本格的に司書になるための道を歩み始めました。

〈目標に到達するまで〉

　本格的に司書をめざすと決めてから、私がまず最初に始めたのは教養試験の勉強でした。司書になるためには、自治体の職員になって図書館に配属される、国立大学法人など司書を募集している試験を受ける、などいろいろ方法がありますが、そのほとんどで課されるのが教養試験です。それに合格しないことに

は何も始まらないので、公務員試験の過去問を購入して必死に勉強しました。

　また、大学で公務員試験対策のための講座が開かれていたので、そちらも受講しました。教養試験を乗り越えたら、次は図書系の試験も待っています。司書課程などを取っている方は、授業のレジュメやノートが最大の参考書になります。基本的なことはすべてそこにつまっていますので、ぜひ活用してください。加えて、私は国立大学法人の図書試験の過去問を購入し、解説も覚えるつもりで読みこみました。

　最後の難関は面接試験です。これは、筆記試験のように一人でじっくり勉強すればどうにかなるものではありません。友だち、家族、先生、誰でもいいので、頼みやすい人に面接の練習相手をしてもらうといいと思います。幸い私が通っていた大学は就活支援の体制が整っており、面接のノウハウを知りつくしている職員の方に面接の練習を行っていただけました。就活支援が充実している大学に通っている方などは、それを活用しない手はないです。司書はとても狭き門です。筆記試験にも言えることですが、使えるものは何でも使うくらいの気概で合格をめざしてください。

　前にも書きましたが、私が本格的に司書をめざし始めたのは大学生になってからです。教養試験の勉強を始めたのは大学３年生になってからでした。もちろん、勉強を始めるのは早いに越したことはありません。ですが、多少遅くても勉強次第で試験に合格し司書になることはできます。本気で司書になりたいと思ったら、是非挑戦してほしいです。

〈おわりに〉

　ここまで、私が司書になるまでの道のりを、大まかにですが書かせていただきました。最初にも書きましたが、私が司書という職に就いたのは、必然だったのではないかと思います。幼いころから身近に図書館があり、その重要性を肌で感じていたからこそ、中学生の時の職場体験先に図書館を選び、大学で司書資格を取り、司書をめざそうと思ったのかもしれません。そして無事司書となった今、「私も、誰かが図書館に興味を持ったり、司書になりたいと思ってくれるきっかけになれるような仕事がしたい」と思いながら日々の業務に励んでいます。この文も、読んでくれたあなたが一歩をふみ出すきっかけになれた

なら幸いです。

📚 学校司書になる

中野　摩耶

〈正規職員として働きたい〉

　大阪にある箕面市で学校司書として働きはじめ、4年目になりました。

　実をいうと、5年ほど前まで学校図書館で働くとは想像もしていませんでした。大学時代も教職課程に興味はなく、司書教諭すらスルー。取得したのは図書館司書と博物館学芸員の資格だけでした。司書として働くなら公共図書館というイメージが強かったですし、実際公共図書館で働いていました。けれど今は学校司書として働き、学校教育についての知識のなさに悩んで小学校の教員免許と司書教諭の資格をとろうと、10年ぶりに二度目の大学生になったのですから、人生わかりません。ちなみに大学は、せっかく勉強するならと学校司書のモデルカリキュラムに合わせた授業も開講されている大学を選びました。

　中学生のころから司書に憧れを抱き、大学で図書館司書資格を取得しましたが、非正規の世界だということを知ったので、正規で働きたかった私は他業界に就職しました。金銭的に無理をして大学に通わせてもらったのに、非正規として就職する勇気は大学生の私にはありませんでした。

　しかし、他業界で働くなかで精神的にも肉体的にもきつい状況に直面したことから、しんどいこともつらいことも最終的に自分のプラスに変換できて、スキルアップのために勉強しようと欲求を抱ける仕事をしたいと思うようになりました。「それなら図書館で働きたい！」と、正社員だった仕事を辞めて公共図書館の臨時職員になるという、はたから見たら自棄としか思えない決断をしました。しかし結果的に、私にとってこの決断は英断と呼べるものとなったのです。

　公共図書館の臨時職員として働きはじめたころは、まだまだ非正規への不安は大きく、正規をめざして公務員試験勉強をしていました。全国にアンテナを張って正規の司書になろうと試験を受けていたものの、うまくいきません。非

正規でも嘱託などある程度の安定を求めましたが、その場合は自宅から通える範囲でと考えるとなかなか募集のタイミングが合いませんでした。正規になりたくて公務員試験を受けていたのは1年半くらいなので、今から思えばとても短い期間でした。けれど、司書になろうと本格的に動き出すのが遅く、年齢制限にひっかかりはじめていたので、このまま司書に固執していてもいいのかと焦りや迷いは拭えませんでした。

〈学校司書に興味をもつ〉

そんななか、たまたま見つけた「箕面・世界子どもの本アカデミー賞」の授賞式を見に行きました。これは、公共図書館と学校と市が連携して行う、子どもたちの投票で受賞作が決定する賞です。授賞式は司会やナビゲーターを児童生徒が行い、オスカー像の作成も生徒でした。ノミネート本の紹介も投票も学校で行うので、学校司書と司書教諭の力が不可欠です。その取り組みを見て、はじめて「学校司書っておもしろそう」と思いました。

その後ますます学校司書への興味が高まり、公共図書館で臨時職員として働くことに迷いを抱いていた私は、箕面市で産休代替のアルバイトを発見して学校司書の世界に飛びこみました。興味をもった市と働くことになった市が一緒というのが運命的ですね。アルバイトではあったものの、学校司書として働きたいなら、箕面市での経験は今後の糧になると考え思い切りました。幸いにも、しばらくして任期付短時間勤務職員の募集があり採用され、ある程度の安定を得て本格的に仕事に取り組めるようになりました。今は多少雇用内容が変わったものの、思い切って学校司書の世界に飛びこんだことが正解だったと感じられる、充実した毎日を送っています。

今から思えば、他業界を経て司書になろうと決めてからは、悩むより動け、動くなら走れとばかりの猪突猛進っぷりだったと思います。

〈おもしろそうだったし、実際おもしろい〉

そもそも正規で働きたいとあがいていたのに、結局は正規をあきらめて非正規の学校司書になる選択をした一番の理由は、「おもしろそうだったから」という単純な理由です。

　多くの学校司書は校内で一人です。司書教諭はいますが、クラス担任をしていると忙しすぎて図書館業務に関わることは物理的に難しく、図書館業務は基本的に学校司書の手に委ねられます。そのプレッシャーとワクワク感がたまりませんでした。利用者との距離が近く反応がダイレクトな学校図書館は、知識や能力不足に落ち込むことが多い反面、目の前の子どもや教職員に応えたいと勉強や試行錯誤の連続で、やる気がどんどん出てきます。安定を求めるわりに動きたがりの私にとっては絶好の環境でした。

　ただ、校内で一人ということは視野が狭くなりやすいので、自主的に学びの場に出て、他校や他市の学校司書と交流する場をもち、独りよがりにならないよう気をつけています。

　しかし、いくらおもしろいとは言っても、学校司書の雇用条件は厳しいところが多いです。私はある程度の安定を得られるところに勤務することができたのでよかったのですが、勤務日数や時間の短さ、なにより長期休暇中は雇用が切られるという厳しい雇用条件のところもあります。また、近年になってはじめて学校司書が配属される自治体も増えています。学校司書という存在が校内で「なんだかよくわからないもの」だと、本当に一から図書館を、そして学校司書という居場所をつくっていく必要があるので、より大変かと思います。

　それでも、学校司書はおもしろいです。基本的に一人職場のため自分で学ぼうと動くことも多いですし、独りよがりにならないように気をつけなければいけませんが、子どもや教職員とともに、自分たちの手で図書館を育んでいる実感は格別です。子どもが幼虫を拾って当たり前のように図鑑を見に来る姿を見ると、虫が苦手な私でもうれしくなります。本を好きになってほしいというより、本という存在がいつだって選択肢のなかにあって手に取ることを厭わないように成長してほしいという想いをこめて、これからも学校図書館で働いていきたいです。

　最後になりますが、司書になりたいといっても館種はさまざまです。せっかくなら、いろいろな館種に目を向けてみて、自分にとって魅力的な職場はどこか探してみてくださいね。

［Ⅵ］

司書の学習・研鑽を
深めるために

1 ｜ 司書にとっての継続教育

　本書ではこれまで全体を通じて、司書の仕事が人と資料・情報をつなぎ、資料や図書館という場が仲立ちをしての人と人との出会いを地域に生み出し、人々の学びを支え励ます働きであることをさまざまな角度から述べてきました。文部科学省の審議会なども期待する「生涯学習の中核施設」という役割を図書館が担っていることは明らかです。そういう図書館の働きをさらに強め、拡充し人々の期待をいっそう広げるためには、そこで働く図書館員（司書）一人ひとりが OJT（On-the-Job Training）のみではなく、積極的に自らの職場外にも学びの機会を求めることが欠かせません。養成課程における学習（資格取得）を第一歩とし、職に就いてからの実務を通して、あるいは自分の自由な時間を使っての多様な学習・研鑽を重ねることで、不断に専門職としてのスキル獲得に努力をはらうことが不可欠です。積極的に学びの場に参加することによって、自分の仕事のなかに喜びややりがいは確実に増すことでしょう。

　日本図書館協会が 1980 年に採択した「図書館員の倫理綱領」では、その第6項に図書館員の「研修につとめる責任」を掲げ、次のように述べています。

（研修につとめる責任）
　第6　図書館員は個人的、集団的に、不断の研修につとめる。

　　　図書館員が専門性の要求をみたすためには、①利用者を知り、②資料を知り、③利用者と資料を結びつけるための資料の適切な組織化と提供の知識・技術を究明しなければならない。そのためには、個人的、集団的に日常不断の研修が必要であり、これらの研修の成果が、図書館活動全体を発展させる専門知識として集積されていくのである。その意味で、研修は図書館員の義務であり権利である。したがって図書館員は、自主的研修にはげむと共に研修条件の改善に努力し、制度としての研修を確立するようつとめるべきである。

　すぐれた図書館サービスのためには、スキルの高い図書館員が必要なことは当然ですが、どんな仕事でも同じように、図書館職場も組織内のさまざまな立場で働く人との協働作業です。ですから、個人の力量を上げることが最終的な目標ではなく、職員全体としてのレベルアップも欠かせません。図書館員の研修が、義務としても求められる所以です。

　2008年の改正図書館法では、第7条ではじめて国や県教委が司書（補）の研修について実施の努力義務を負うことを取り上げ、

（司書及び司書補の研修）
　第7条　文部科学大臣及び都道府県の教育委員会は、司書及び司書補に対し、その資質向上のために必要な研修を行うよう努めるものとする。

と規定しました。研修が個々人の義務であるとともに、設置者・雇用者等にとってもはたすべき義務であることを確認した内容です。そこでは当然、職員が多様な研修機会に参加できるよう条件を整える責任もあるわけです。

　そこで、これから司書をめざす人、いま現に図書館で働く人を含めて、司書にとっての継続教育の方法、機会等への手引き、主な研究団体などを紹介して、本書の結びとします。

2 ｜ 働きながら学ぶために

　一般的に、職業人の研修には二通りのものがあります。一つは、職場における仕事を通しての OJT（On-the-Job Training）であり、仕事に直接かかわる知識・技能の習得、訓練、学習が主なものです。新たに採用された職員、中堅職員、管理職などそれぞれの段階における職員に必要とされる知識、技能を、仕事として学ぶことが義務づけられます。それに対して、職場外 OFF JT（Off-the-Job Training）でもいろいろな研修の機会が存在し、それにも、業務の一環として参加を命じられることもあります。

　他方、自分から進んで自主的、主体的に行う学習も広い意味での研修です。専門職の場合は、むしろそれこそが本当の研修だと言ってもよいでしょう。

　研修の方法としては、個人で自主的に、あるいは命じられて研究集会やセミナーに参加したり、本を読んだり、正規の教育機関、研修所などへ一定期間、職場から派遣されるという形態もあります。最近は社会人の生涯学習、リカレント教育ということで、働きながら、あるいは一定期間職場を離れて大学・大学院に籍を置く方法もあります。それぞれに特徴がありますが、自ら課題意識をもって積極的に勉強しようとすること、職場で参加のための条件整備が講じられることが必要です。

　公立図書館職員の研修機会としては、文部科学省とブロックの県教育委員会が共催する数日間にわたる地区別研修会、日本図書館協会（公共図書館部会）や研究団体が主催する研究大会、セミナー、講座などの他、各府県の教育委員会、県立図書館、県図書館協会が定期的に開いている研修会等がかなりたくさんあります。

　さらに、文部科学省と国立教育政策研究所社会教育実践研究センターが主催する 14 日間（2021 年度）の長期にわたる「図書館司書専門講座」があります。この講座の目的は「司書として必要な高度かつ専門的な知識・技術に関する研修を行い、都道府県・指定都市等での指導的立場になりうる司書及び図書館経営の中核を担うリーダーとしての力量を高める」こととされています。対象は

勤務経験がおおむね 7 年以上で指導的立場にある司書で、都道府県・指定都市教育委員会の推薦が必要です。

　日本図書館協会も図書館勤務経験 3 年以上の人を対象に、数日間にわたる「中堅職員ステップアップ研修（1）」、経験 7 年以上の人を対象に「中堅職員ステップアップ研修（2）」を継続して実施しています。これらの長期に及ぶ研修となると職員の少ない図書館からは参加しにくいという声もあるのですが、そういう図書館の職員こそが参加できる配慮がほしいものです。

　参考までに、2022 年度の「中堅職員ステップアップ研修（2）」の内容および日程は下記のような企画です。全科目オンライン（Zoom）開催です。

　この他、日本図書館協会では「児童図書館員養成専門講座」や「障害者サービス担当職員養成講座（基礎コース）（中級）」「図書館建築研修会」のように各委員会の企画による内容の講座も実施しています。また、雇用の形態や仕事

回	研修日	開講時間	領域	テーマ	講師名 （所属 2022.3 現在）
	2022 年 6 月 6 日 （月）	13:30-15:00	オンライン受講のオリエンテーション（Zoom 操作研修他） 参加必須。実際に受講する場所・環境で参加してください。		
1	2022 年 7 月 4 日 （月）	14:00-16:30	図書館を 運営する （10 科目）	政策動向の分析	是住　久美子［1104］ （田原市図書館）
2	2022 年 7 月 5 日 （火）	9:30-12:00		自治体行政と 図書館経営の基本	豊田　高広 （フルライトスペース（株））
3		14:00-16:30		県立図書館と 県域サービス	小林　隆志［1043］ （鳥取県立図書館）
4	2022 年 7 月 6 日 （水）	9:30-12:00		図書館経営の評価	須賀　千絵 （実践女子大学）
5		14:00-16:30	資料・情報 との出会いを 創出する （7 科目）	情報サービスの 評価の方法	吉田　昭子 （文化学園大学）
6	2022 年 7 月 25 日 （月）	14:00-16:30		電子資料の動向	植村　八潮 （専修大学）
7	2022 年 7 月 26 日 （火）	9:30-12:00	図書館・情報 インフラを 発展させる （6 科目）	図書館システムの 機能と要件	奥野　吉宏［1073］ （京都府立図書館）
8		14:00-16:30		図書館システムの 要件定義の実際	

148

	日程	時間	領域	科目	講師
9	2022年7月27日（水）	9:30-12:00	図書館を運営する	図書館経営の評価実践	須賀　千絵
10		14:00-16:30		情報サービスの評価の実際	吉田　昭子
11	2022年9月5日（月）	9:30-12:00	資料・情報との出会いを創出する	情報リテラシー支援（1）	髙田　淳子（獨協大学等（非常勤講師））
12		14:00-16:30		情報リテラシー支援（2）	
13	2022年9月6日（火）	9:30-12:00	図書館を運営する	図書館サービス計画の立案・策定（1）	浅見　佳子（鎌倉市中央図書館）
14		14:00-16:30		図書館サービス計画の立案・策定（2）	
15	2022年9月7日（水）	9:30-12:00	図書館・情報インフラを発展させる	情報資源の管理と提供	鴇田　拓哉（共立女子大学）
16		14:00-16:30		情報資源の組織化と提供の実際	
17	2022年9月26日（月）	9:30-12:00	資料・情報との出会いを創出する	情報ニーズと図書館	髙橋　真太郎［1086］（境港市民図書館）
18		14:00-16:30	トピック（1科目）	ローカルジャーナリストとして地域を見つめる	田中　輝美（島根県立大学）
19	2022年9月27日（火）	9:30-12:00	図書館を運営する	策定計画の発表と討議（1）	浅見　佳子
20		14:00-16:30		策定計画の発表と討議（2）	
21	2022年10月17日（月）	9:30-12:00	資料・情報との出会いを創出する	ネットワーク時代の図書館と図書館員	今満　亨崇（日本貿易振興機構アジア経済研究所）
22		14:00-16:30	図書館を運営する	災害と図書館	加藤　孔敬［1183］（名取市図書館）
23	2022年10月18日（火）	9:30-12:00	図書館・情報インフラを発展させる	Webを活用した図書館サービスの設計	飯野　勝則（佛教大学図書館）
24		14:00-16:30		Webを活用した図書館サービスの実際	

※講師名の［数字］は日本図書館協会認定司書であることを表す認定司書番号です。

の内容、老若男女を問わず、図書館で働くみんなのための講座という呼びかけの「図書館基礎講座」が東北・関東・近畿・九州の各地で開催されます。

　（参考）日本図書館協会の研修

　　　http://www.jla.or.jp/jla/tabid/585/Default.aspx

　国立国会図書館も図書館員を対象に、さまざまな研修を実施しています。2019年度には下記の研修が実施されました。さらに研修会場に足を運ばずに学ぶこともできるよう、You Tube の「国立国会図書館公式チャンネル」で遠隔研修教材を提供しています。

	研 修 名	対　象	会　場
1	レファレンス協同データベース事業担当者研修会	レファレンス協同データベース事業参加館の実務担当者	東京本館関西館
2	日本古典籍講習会	日本の古典籍を所蔵する機関で古典籍を扱っている職員で、現在古典籍を扱っている人（経験年数概ね3年以内）	国文学研究資料館東京本館
3	全国書誌データ・レファレンス協同データベース利活用研修会	公共図書館、学校図書館等の職員	東京本館関西館
4	資料保存研修	公共図書館、大学図書館及び専門図書館職員	東京本館関西館
5	レファレンス・サービス研修：人文情報を中心に（2日間）	公共図書館、大学図書館及び専門図書館職員で、レファレンス業務担当者	東京本館
6	レファレンス・サービス研修：科学技術情報を中心に（2日間）	公共図書館、大学図書館及び専門図書館職員で、レファレンス業務担当者	関西館
7	障害者サービス担当職員向け講座（3日間）	公共図書館及び大学図書館職員等で、障害者サービスの基礎的な知識及び技術の習得を目指す人	関西館
8	アジア情報研修（2日間）	各種図書館、調査研究機関等で、アジアに関連する情報を扱う人	アジア経済研究所
9	児童文学連続講座（2日間）	図書館等における児童サービス担当者	国際子ども図書館

150

　さらに本格的な現職研修となると、1年なり2年なり、大学や大学院で学ぶという方法が考えられます。学校教員のような派遣制度（研修に参加した人の後の要員を配置するなど）が整っていないため、現状では勤務しながら昼間の大学（院）に通うことはきわめて困難ですが、社会人の通学の便を考慮して、夜間や休日を主とした授業形態を採用するなど工夫している大学院もあります。

・筑波大学大学院　図書館情報メディア研究科
・慶應義塾大学大学院文学研究科　図書館・情報学専攻 情報資源管理分野

　インフォーマルな日常的学習となると、自ら刺激や知見を求めさまざまな研究集会やセミナーに参加すること、他の図書館を見学すること、図書館情報学関係の文献を読むことなどが考えられます。また、図書館の世界から一歩外に出て、出版や教育関係、あるいはさまざまな人権問題についての学習、施設見学なども有効です。そして、最も重要な学習として、日常のサービス活動のなかで、"利用者（住民）から学ぶ"という関係をしっかり意識しておくことが大切です。

　2010年からスタートした日本図書館協会の「認定司書」制度は、公共図書館現場における10年以上の経験と、こうした研修を積み上げた成果をもとに、当人からの申請を受けて「専門家といえる司書」と認定するものです。研修の励みとしてこうした制度にチャレンジし、専門職としての実を身につけ、それを活かす活動をしていただくことも、期待したいと思います。

　2017年6月、認定司書の一人である砂生紗理奈編著『認定司書のたまてばこ：あなたのまちのスーパー司書』（郵研社）が刊行されました。これを読むと、全国で活躍する認定司書の仕事や思いについて知ることができます。

3 ｜ 主な研究団体の紹介

　司書として採用され職務に就きますと、現場で OJT として学ぶことは日々、たくさんあります。自分の職場以外の図書館の実践や図書館員による研究にふれて、自分の図書館の活動や日々の実践を対象化して見直すこと、自分の経験や思索を言葉や文章で表現することが専門職としての不断の成長に欠かせないと思います。

　そういう意味で、ここに個人で参加（入会）できる主要な全国規模の研究団体について、その概略を紹介することにします。いずれも学生でも入会できる組織です。この他にも、主題を限った専門的な研究会、ローカルな学会なども多数あります。専門職員として、少なくとも日本図書館協会を含めて可能な範囲で複数の研究団体に入会し、自己研鑽に努めてください。出張や業務として参加できるセミナーや集会には限りがありますが、プライベートな時間を使ってでもこのような団体が主催する各種事業に参加する心意気は大切にしたいものです。

　それぞれについての記載事項は下記のとおりです。
☆**名称（略称）**
　①団体の特徴
　②所在地、連絡先
　③主要な事業、活動
　④年会費
　⑤機関誌・定期刊行物

☆**日本図書館協会（日図協　JLA）**
　①すべての館種にわたる図書館・図書館員の全国組織として 130 年近くの歴史を持つ、日本の代表的な図書館団体。1892 年に「日本文庫協会」として発足。「図書館事業の進歩発展を図り、わが国文化の進展に寄与する」（定

款第3条）を目的とする。公益社団法人。

②〒104-0033　東京都中央区新川1-11-14
　　　　　　TEL：03-3523-0811　FAX：03-3523-0841

③全国図書館大会、部会ごとの研究集会、図書館員を対象とした研修会等を主催。さらに各地の図書館協会、団体の企画を共催等の形で支援。文部科学省との図書館施策をめぐっての協議、政策提言なども随時行っている。「図書館の自由に関する宣言」「図書館員の倫理綱領」を制定。NDC、NCR、BSHの3大トゥールの維持発展も担っている。

④個人会費：年間9,000円

　施設会員会費：A、B、Cの3クラスに分かれている。

⑤『図書館雑誌』（月刊）全会員に配布

　＊最も一般的でカレントな図書館専門誌。論説、実践報告、書評、図書館情報等掲載。

　『現代の図書館』（季刊）

　『図書館年鑑』

　『日本の図書館：統計と名簿』（年刊　公共・大学図書館についての名簿、統計を収録）

☆日本図書館研究会（日図研　NAL）

①戦前の代表的な図書館研究団体であった「青年図書館員聯盟」を継承し、1946年に創立されたわが国で最も歴史のある研究団体。関西に本部を持つ全国組織。館種を超えた研究・交流、主題によるグループ研究に特徴がある。日本学術会議加盟。

②〒550-0002　大阪市西区江戸堀2-7-32　ネオアージュ土佐堀205号室
　　　　　　TEL&FAX：06-6225-2530

③年1回の研究大会、図書館学セミナーを開催。ほかに月例研究例会、ブロック・セミナー等を開催。グループ研究活動の助成。出版活動。研究グループの成果が毎年研究大会で発表される。

④個人会費：5,000円

　学生会員：3,000円（2011年度新設）

　　団体会員：8,500 円

　⑤『図書館界』（隔月刊）

☆図書館問題研究会（図問研）

　①「現実の社会、政治、経済との関連のもとに、公共図書館の切実な問題と
　　とらえ、謙虚な態度で図書館奉仕の科学的、実践的な理論を確立」すると
　　いう綱領のもとに、1955 年結成。公共図書館を主たる対象に、全国大会
　　で当面する現状の分析と課題を設定し、研究・調査・実践活動により綱領
　　の実現をめざす。個人加盟の運動体的性格を備えた研究会。

　②〒 103-0014　東京都中央区日本橋蛎殻町 1-35-2　グレインズビル 102
　　　　　　　　TEL：03-6810-7739　FAX：03-6810-7744

　③全国大会、研究集会の開催。調査研究活動。各支部の実践、運動を重視す
　　る。

　④ 8,000 円

　⑤『みんなの図書館』（月刊）

　　『図書館評論』（年刊）　＊研究集会の発表論文を主に編集。

☆大学図書館研究会（大図研）

　① 1960 年代末の大学紛争を機に、図問研を母体として 1970 年に結成。学生・
　　教職員の要求をもとに、利用者のための大学図書館づくりをめざす運動体
　　的な性格をもつ研究団体。設立当初は「大学図書館問題研究会」と称した
　　が 2021 年 1 月に改称。略称は変わらず。

　②文教大学越谷図書館気付　FAX：048-974-8040

　③全国大会の開催。各支部の研究・実践、研究グループの活動を重視する。

　④ 5,000 円

　⑤『大学の図書館』（月刊）

　　『大学図書館研究会誌』（年刊）

☆学校図書館問題研究会（学図研）

　①専任職員のいる学校図書館のはたらきと実践の交流、普及を通して「学校

図書館の充実と発展」に努めるべく、1985 年に図問研を母体として発足。個人加盟の研究会。

②〒 395-1101　長野県下伊那郡喬木村 789-1　林貴子（事務局）

TEL&FAX：0265-49-8626

③全国大会、研究集会の開催。大会で「私たちの課題」を設定し、学校図書館の資料提供機能の追求に力を入れている。各支部での研究・実践を重視する。

④『学図研ニュース』PDF 配信受取：年 5,000 円

　『学図研ニュース』紙版郵送受取：年 7,000 円

⑤『学図研ニュース』（月刊）

　『がくと』（年刊）　＊全国大会の記録を中心に編集

☆児童図書館研究会（児図研）

①児童図書館の研究とその充実発展をめざして 1953 年に設立。公共図書館における児童サービスの普及、位置づけを強める活動を継続している。

②〒 105-0004　東京都港区新橋 5 丁目 9 - 4 関ビル 3F

TEL：03-3431-3478

③全国学習会、ミニ学習会、支部学習会

④ 6,000 円

⑤『こどもの図書館』（月刊）

☆日本図書館情報学会

①図書館情報学の進歩発展に寄与することを目的として、1953 年に設立。日本学術会議に加盟する学術団体。研究者が中心の組織。

②〒 182-8525　東京都調布市緑ヶ丘 1-25　白百合女子大学今井福司研究室内

③研究大会、春季研究集会の開催。『図書館情報学用語辞典』の編集等

④正会員：8,000 円　学生会員：2,000 円　団体会員：15,000 円

⑤『日本図書館情報学会誌』（季刊）

　『日本図書館情報学会会報』（年 4 回）

［付］

参考資料

1 司書採用試験専門科目の出題事例

　司書の採用試験ではどんな問題が出題されているのか、自分がチャレンジしようとする図書館の過去の出題傾向などはこれから試験を受けようとする人にはぜひとも知りたいことに違いないでしょう。近年は、公的機関に情報公開が求められるようになり、過去問題を自治体公式サイトなどで公開することが増え、司書職を希望する方々にとって、採用試験問題情報の入手が容易になりました。以前は受験した学生が覚えて帰った記憶などを基に、各先生方が再現したりして、受験学生の参考に供与したりしていたものです。

　ここではそうした公開されている試験問題のいくつかを、館種別に収録しました。司書の採用試験とはどういうものかの一端を見ることができるでしょうし、試験問題が公開されていない自治体の試験対策としても参考になります。

1. 公共図書館

【東京都】
　東京都・司書職員採用試験で出題された過去問題です。東京都職員採用公式サイト「2類採用試験」から引用しました。

●令和3年度
　次の［1］〜［5］の5題のうちから3題選択のこと。

［1］図書館関係団体に関する次の問いに答えよ。
　(1) 日本図書館協会（JLA）及び国際図書館連盟（IFLA）の役割と活動内容について、それぞれ説明せよ。
　(2) 日本における館種別の全国図書館協会ないし協議会を一つ挙げ、活動内容について簡潔に説明せよ。
［2］2016年4月に施行された「障害を理由とする差別の解消の推進に関する法律」（障害者差別解消法）に関する次の問いに答えよ。

(1) 障害者差別解消法において、障害を理由とする差別を解消するために、公立図書館に対し、どのようなことを義務ないし努力義務として課しているか説明せよ。

(2) 図書館における差別の解消に向けた具体的な措置の例を三つ挙げよ。

［3］現代社会における情報リテラシーに関する次の問いに答えよ。

(1) 現代社会において情報リテラシーの習得にどのような意義があるか、リテラシー習得の意義を述べよ。

(2) 図書館が情報リテラシー教育を実施する場合、これまで実施してきたどのようなサービスを基盤に、どのような能力の習得を目指すのか説明せよ。

(3) 情報リテラシー教育として提供される具体的なサービスの例を三つ挙げよ。

［4］日本におけるブックスタートの内容、意義及び課題について、それぞれ説明せよ。

［5］「日本目録規則　2018 年版」が依拠する「書誌レコードの機能要件」（「FRBR」）では、知的・芸術的成果を表す実体として、どのようなものを定義しているか。次の資料を例に説明せよ。

　　勝小吉著「夢酔独言」を勝部真長が現代語訳したもので、PHP 研究所から 1995 年に刊行された書籍のうち、東京都立図書館が所蔵する 1 冊

　　　https://www.saiyou.metro.tokyo.lg.jp/saiyou2021/03mondai/2-3/senmon/03-2-senmon.pdf

●令和 2 年度

次の ［1］ ～ ［5］ の 5 題のうちから 3 題選択のこと。

［1］司書、学芸員、社会教育主事の役割と養成について、法律上の位置づけをそれぞれ説明せよ。

［2］図書館パフォーマンス指標とはどのようなもので、図書館運営のどのような場面で用いられるか。特定の指標を挙げ、他種の指標との違いを含めて説明せよ。

［3］図書館協力の定義及び意義について説明せよ。また、公立図書館を例として、その具体的な内容を説明せよ。

［4］政府刊行物とはどのような資料か、日本の立法・行政・司法それぞれの代表的な具体例を挙げて説明し、意義を論ぜよ。なお、民間出版社から発売・刊行されるものがあるかどうかについても触れること。

158

また、図書館法では、公立図書館における政府刊行物の収集に関してどのように規定されているか説明せよ。

[5] 主題目録法における索引語に関する次の問いに答えよ。

⑴ 自然語と統制語の定義及び利点について、具体例を挙げてそれぞれ説明せよ。

⑵ 事前結合方式及び事後結合方式の、定義及び利点ついて、具体例を挙げてそれぞれ説明せよ。

https://www.saiyou.metro.tokyo.lg.jp/saiyou2020/02mondai/2-3/senmon/02-2-senmon.pdf

●令和元年度

次の［1］〜［5］の5題のうちから3題選択のこと。

[1]「図書館の設置及び運営上の望ましい基準」を踏まえて、都道府県立図書館は市町村立図書館と比べて、どのような独自の機能を持つことが期待されているのか説明せよ。

[2] 図書館における資料の排架法に関する次の問いに答えよ。

⑴ 開架式と閉架式の定義及び利点について、それぞれ説明せよ。

⑵ 移動式と固定式の定義及び利点について、それぞれ説明せよ。

[3] 児童サービスで、「読み聞かせ」と「パネルシアター」とは、それぞれどのようなサービスかを説明せよ。また、それぞれを実施する際に、著作権者の許諾は不要か、又は必要かを挙げ、不要の場合にはどのような条件下で認められるか説明せよ。

[4] 引用索引に関して、定義を述べた上で、検索ツールとしての意義・用法及び検索以外のツールとしての意義・用法について、それぞれ説明せよ。

[5] 日本十進分類法における補助表に関する次の問いに答えよ。

⑴ 補助表とはどのようなものか説明せよ。

⑵ 一般補助表とはどのようなものか、区分に言及して説明せよ。

⑶ 固有補助表とはどのようなものか説明せよ。

https://www.saiyou.metro.tokyo.lg.jp/saiyou2019/31mondai/2-3/senmon/31-2-senmon.pdf

【神奈川県横浜市】

横浜市の司書採用試験では、一次試験で論文試験が課されます。公式サイト

に過去 3 年分が掲載されています。

https://www.city.yokohama.lg.jp/city-info/saiyo-jinji/saiyo/saiyo-info/kako/r01-rei-kako-kou.html

●令和 2 年度

第 65 回「学校読書調査」(2019 年) によると、小中学生の約 8 割がスマートフォンを使用し、また、横浜市では、令和 2 年度中に市立小中学校の児童生徒に 1 人 1 台の端末の整備を進めるなど、子どもが活字や本に触れる環境は変わりつつある。この状況を踏まえ、子どもの読書活動について市立図書館として果たすべき役割と、あなたが司書としてどのように取り組んでいきたいか、考えを述べなさい

●令和元年度

平成 30 年度横浜市民意識調査では、「市政への要望」として「地震などの災害対策」が、「心配ごとや困っていること」として「自分の病気や健康、老後のこと」が調査結果の上位となっています。これを踏まえ、市立図書館が行うべき課題解決支援サービスについてのあなたの考えと、あなたが司書としてどのように取り組んでいきたいかを述べなさい。

●平成 30 年度

横浜市には、各区に 1 館、合計 18 館の市立図書館があり、市民に身近な地域の情報拠点として利用されていますが、様々な事情等により、図書館でのサービスを受けることが困難な市民がいます。このような状況に対して、これからの図書館に求められる役割についてのあなたの考えと、あなたが司書としてどのように取り組んでいきたいかを具体的に述べなさい。

【大阪府堺市】

公式サイトに過去 5 年間の専門試験 (記述式) が掲載されています。

http://www.city.sakai.lg.jp/shisei/jinji/shokuinsaiyo/saiyoannai/shikennoreidai/shisho.html

●令和 3 年度

専門試験 (記述式)【司書】

問 1~ 問 3 の選択問題の中から 2 問を選択し、解答しなさい。また、問 4 の必須問題を解答しなさい。問 1~ 問 3 については、1 枚目と 2 枚目の解答用紙に、選択した問題番号を必ず記入のうえ解答しなさい。問 4 については、3 枚目の

解答用紙に解答しなさい。

［選択問題］

〈問1〉公共図書館におけるレフェラルサービスについて、400字程度で説明しなさい。

〈問2〉ヤングアダルトコーナーを設置する際の留意点を3つ挙げ、それぞれ事例を交えて400字程度で説明しなさい。

〈問3〉デジタルアーカイブ及びジャパンサーチの概要について、400字程度で説明しなさい。

［必須問題］

〈問4〉新型コロナウイルス感染症感染拡大防止のため、多くの図書館が臨時休館やサービスの縮小を余儀なくされたが、そのような状況下でも多様なサービスが継続された。その事例を1つ挙げ、図書館の取組に対するあなたの考えを述べなさい。

また、今後このような重大事象に対処するため、図書館として取り組むべきことについて併せて論じなさい。なお、解答字数は合わせて800字程度とする。

●令和2年度

専門試験（記述式）【司書】

問1～問3の選択問題の中から2問を選択し、解答しなさい。また、問4の必須問題を解答しなさい。問1～問3については、1枚目と2枚目の解答用紙に、選択した問題番号を必ず記入のうえ解答しなさい。問4については、3枚目の解答用紙に解答しなさい。

［選択問題］

〈問1〉図書館資料の印刷資料と電子資料の特徴について400字程度で説明しなさい。

〈問2〉国民の知る権利と図書館の自由について400字程度で説明しなさい。

〈問3〉高齢者に対する図書館サービスについて400字程度で説明しなさい。

［必須問題］

〈問4〉従来の図書館では、図書・雑誌などの印刷媒体を中心としたレファレンス・サービスが主流であったが、近年、電子媒体からの情報も多く図

書館で利用され、双方のメリットを活かした市民への情報提供が強く求められている。堺市における新しいレファレンス・ワークのあり方として、どのように双方を結び付け、展開し、サービスを提供すればよいのか、あなたの考えを800字程度で述べなさい。

2. 大学図書館

過去の「国立大学法人等職員採用（図書系）二次試験」問題は、各地区の国立大学法人等職員採用図書系専門試験実施委員会のサイト等で公開されています。

例　「2022年度 近畿地区国立大学法人等職員採用図書系専門試験案内」
https://www.kulib.kyoto-u.ac.jp/mainlib/examine/

【令和3年度国立大学法人等 職員採用（図書系）第二次試験問題】

＊全16問、回答時間は1時間30分

[No.1]

次は、文部科学省科学技術・学術審議会情報委員会ジャーナル問題検討部会「我が国の学術情報流通における課題への対応について（審議まとめ）」（令和3年2月12日）の一部である。これを読んで以下の問いに答えなさい。

近年のオープンアクセスの急速な普及に伴い、論文をオープンアクセスにするための費用である（　ア　）の負担増が新たな課題として顕在化する等、ジャーナルを取り巻く問題は、従来の購読価格上昇の常態化にとどまらず、より拡大・複雑化している。これに対して欧州では（　イ　）オープンアクセスを中心にオープンアクセスを促進させるOA2020や、研究助成機関から助成を得た研究の成果を論文公表後直ちにオープン化するよう義務付けるPlanSといった動きが活発化している。我が国の大学等研究機関、研究者、図書館関係者等はこれらの動きに対して、我が国における研究成果の発信及び学術情報へのアクセスが諸外国から取り残されてしまうのではないかという危機感を一層高めることとなった。（中略）

学術情報流通をめぐる状況はこれまで大きく変化してきた。大手海外商業出版社の購読ジャーナルを中心とする状況から、論文のオープンアクセス化が主

要な課題と認識されるようになり、さらに平成25年6月のG8科学大臣及びアカデミー会長会合（共同声明）等を契機に、諸外国では論文のオープンアクセス化を大前提として、公的資金による研究データのオープン化を促進することが戦略的に進められてきている。特にデータ駆動型科学の興隆により、論文だけでなく研究データそのものが大きな価値を持ち、国家、企業、出版社、研究機関の次の競争の要素となっているところである。

　近年のオープンアクセスに関する政策として、例えば、欧州では、Horizon2020で助成された研究成果のオープンアクセス化を義務付けており、Horizon2020期間中は、（　イ　）オープンアクセスに要する（　ア　）について、補助金を利用できるようにする等、科学技術政策と論文のオープンアクセス化を連動させている。

　前述のOA2020やPlanS、あるいはHorizon2020のような政策的な動きによって（　イ　）オープンアクセスへの傾斜が強まったことに対応する形で、大手海外商業出版社は購読価格に論文を出版する経費である（　ア　）を一体化する購読・出版モデル（Read &Publish 契約等）を提案してきており、諸外国においては、従来の（　ウ　）契約からの転換が進んでいる。また、機関リポジトリでのアーカイブや、プレプリントサーバーへ登載する等の研究者の自発的な取組を中心としてきた論文のオープンアクセス化、すなわち（　エ　）オープンアクセスにおいても、出版社によるプレプリントサーバーの買収といった動きが見られる。さらに、出版社が著者最終稿を自らのウェブサイトで閲覧可能とするサービスに乗り出す等、新たな局面を迎えている。

　他方、（　イ　）オープンアクセスの進展に伴う課題の一つとして、主に（　ア　）を当てにした粗悪学術誌（Predatory journal、いわゆるハゲタカジャーナル）等を媒体として、粗悪な出版社に、研究者や学術団体及び国際会議の人的ネットワークや研究費が収奪の対象とされているという状況も顕在化している。

⑴ 文中の（ア）に該当する、「主に著者が支払う論文処理費用」を表す用語の略語として正しいものを下から一つ選んで記号で答えなさい。

　(a) APC　　　(b) DDP　　　(c) FTE　　　(d) PPV

⑵ 文中の（イ）、（エ）に該当する語句を下からそれぞれ一つ選んで記号で答えなさい。

(a) グリーン　　(b) ゴールド　　(c) プラチナ　　(d) ブロンズ

(3) 文中の（ウ）に該当する「特定出版社の全ての学術雑誌もしくは特定分野の雑誌を一括で契約する」ことを表す語句を下から一つ選んで記号で答えなさい。

(a) アグリゲータ　(b) エンバーゴ　(c) バックファイル　(d) ビッグディール

(4) 下線部の記述の影響を受けた我が国大学図書館全体の最近 11 年間（平成 20 年度～平成 30 年度）の電子ジャーナル整備状況の変化として正しいものを下から一つ選んで記号で答えなさい。

(a) 国外出版社タイトルの購読中止が増加し利用可能タイトルが減少したため、NACSIS-ILL の文献複写依頼総件数が増加した。

(b) 国外出版社の利用可能タイトル総数が減少したため、国内出版社の利用可能タイトル総数がこれを上回る逆転現象が起こった。

(c) 国外出版社タイトルの価格上昇により、電子ジャーナル総経費は大幅に増加したが、利用可能タイトル数は約 70％に減少した。

(d) 電子ジャーナル総経費、利用可能総タイトル数ともに増加しており、図書館資料費総額が伸び悩むなか、電子ジャーナル経費の占める割合が増加している。

［No.2］

次は、大学図書館に関係する日本の法令についての説明である。（1）～（4）に該当する語句を下からそれぞれ一つ選んで記号で答えなさい。

1 ）1879 年制定の教育令で、学校とは小学校・中学校・大学校・師範学校・専門学校その他各種の学校とすることが定められた。また、1899 年には（　1　）が公布され、図書館が初めて独立の機関としての法令を持つとともに、学校が図書館を設置できること等が定められた。

2 ）1949 年、（　2　）が施行され、第 6 条で「国立大学に、附属図書館を置く」と定められた。

3 ）1956 年施行の（　3　）では、図書館の設置が明記された。その後の改定により、「大学は（中略）図書、学術雑誌，視聴覚資料その他の教育研究上必要な資料を、図書館を中心に系統的に備えるものとする」と定められた。

4 ）2004 年に（　2　）が廃止された。それに代わる法律として制定された

（　4　）には、国立大学に附属図書館を設置する規定はなくなった。

(a) 学校教育法　　　　(b) 学校図書館法　　　(c) 教育基本法

(d) 国立学校設置法　　(e) 国立大学法人法　　(f) 国立大学法人法施行規則

(g) 社会教育法　　　　(h) 大学院設置基準　　(i) 大学設置基準

(j) 図書館法　　　　　(k) 図書館令　　　　　(l) 文部省令

[No.3]

次は、我が国の現行著作権法（昭和 45 年 5 月 6 日法律第 45 号）に規定された権利について整理した図である。

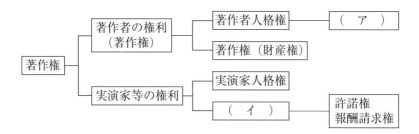

⑴（ア）に該当するものを下から三つ選んで記号で答えなさい。

⑵（イ）に該当するものを下から一つ選んで記号で答えなさい。

(a) 公衆送信権　　　　(b) 公表権　　　　　　(c) 氏名表示権

(d) 上演権　　　　　　(e) 貸与権　　　　　　(f) 著作隣接権

(g) 展示権　　　　　　(h) 同一性保持権　　　(i) 特許権

(j) 二次的著作物の利用権　(k) 頒布権　　　　(l) 複製権

⑶「著作者人格権」と「著作権（財産権）」について、以下の三つのうち正しいものをすべて選んで記号で答えなさい。

(a)「著作者人格権」と「著作権（財産権）」は、著作物が創作された時点で「自動的」に付与される。したがって、権利を得るための手続きは必要ない。

(b)「著作者人格権」は、著作者が精神的に傷つけられないようにするための権利であり、創作者としての感情を守るためのものであることから、これを譲渡したり、相続したりすることはできない。

(c) 財産的利益を守るための「著作権（財産権）」は、その一部又は全部を譲渡したり相続したりすることができる。

⑷「著作権（財産権）」は存続期間が定められており、この期間を「保護期間」
という。手塚治虫（漫画家 本名：手塚治 1989 年年 2 月月 9 日没）の著作物
の保護期間として正しいものを下から一つ選んで記号で答えなさい。

(a) 2039 年 2 月 9 日まで　　　(b) 2039 年 12 月月 31 日まで

(c) 2059 年 2 月月 9 日まで　　　(d) 2059 年 12 月月 31 日まで

［No.4］

次は、Web ページに関する記述である。（1）～（4）に該当するものをそ
れぞれ一つ下から選んで記号で答えなさい。

（　1　）は、ハイパーテキスト（Web ページ）を記述するための言語であ
る。ほとんどの Web ページは（　1　）で記述されている。

（　2　）は、ハイパーテキストを転送するためのプロトコルである。ユー
ザが Web ブラウザに URL を入力したり、Web ページ上のリンクを選択した
りすると、Web ブラウザは Web サーバにアクセスして、URL に対応するリソー
スを入手する。（　2　）を TLS（Transport Layer Security）のような暗号
通信の仕組みとともに使ったものが（　3　）で、セキュリティの機能を高め
ている。

Web ページのデザインやレイアウトを整え，より見やすく表示したい場合
は、CSS 等の言語により記述した（　4　）を Web ページに適用することに
より、文字の書体や大きさ、画像の位置、余白等を調整することができる。

(a) API　　　　　　(b) DHCP　　　　　(c) FTP

(d) HTML　　　　　(e) HTTP　　　　　(f) HTTPS

(g) SMTP　　　　　(h) TCP/IP　　　　(i) オートコンプリート

(j) クッキー　　　　(k) スタイルシート　(l) プラグイン

3. 国立国会図書館

国立国会図書館の公式サイトで過去の試験問題が公開されています。

https://www.ndl.go.jp/jp/employ/pastexam/index.html

令和 3 年度一般職（大卒程度）第 2 次試験問題専門科目（総合職・一般職（大

卒程度）共通問題）「図書館情報学」は下記の通りです。

〈問1〉次の (1) ～ (5) から3つを選び、それぞれの定義または概要について、
必要に応じ、その機能や図書館にとっての意義、課題にもふれながら、説明
しなさい。

　　(1) IIIF　　　　　(2) ISNI　　　　　(3) LL ブック
　　(4) アレクサンドリア図書館　　　　(5) 件名標目表

〈問2〉情報検索の際に使用する次の (1)、(2) のデータベースについて、その概
要及び検索可能な資料について述べなさい。

　　(1) 国立国会図書館検索・申込オンラインサービス　　(2) WorldCat

〈問3〉次の (1)、(2) の資料の特性及び図書館で収集・保存する際に留意すべき
点について、説明しなさい。図書館の種類（館種）を限定して論じる部分が
あって差し支えないが、その旨がわかるように記述すること。

　　(1) 新聞　　　(2) オーディオ・ビジュアル資料

〈問4〉日本目録規則における書誌階層の考え方について、次の (1)、(2) の問い
に答えなさい。

　　(1) 書誌階層とはどういうものかを説明しなさい。

　　(2) 書誌階層が『日本目録規則 1987 年版』以降に導入された理由を説明しな
　　　さい。

〈問5〉次の (1) ～ (3) からいずれか1つを選択し論じなさい。最近の動向を踏
まえながら意義や課題をめぐる論点を整理するとともに、自分なりの展望を
述べなさい。図書館の種類（館種）を限定して論じる部分があって差し支え
ないが、その旨がわかるように記述すること。

　　(1) 電子書籍貸出サービスの導入と図書館

　　(2) 視覚障害者等の読書環境の整備の推進に関する法律（読書バリアフリー
　　　法）の成立と図書館

　　(3) 住民による公共図書館の支援

2 ｜ 大学で学ぶ図書館情報学の紹介

　ここには図書館情報学を専攻とする筑波大学の「知識情報・図書館学類」の概要を収めました。多くの大学における資格取得を目的とする司書課程の学習は、本文中に紹介した省令に定める「図書館に関する科目」にほぼ準拠した学習をすることになります。

◆ 筑波大学の「知識情報・図書館学類」の案内（同学 2023 School Guide）

表1　各主専攻の特徴

	知識科学主専攻	知識情報システム主専攻	情報資源経営主専攻
ポイントは？	人　間	情報技術	社　会
何を学ぶか？	知識の本質、知識と情報行動、知識獲得のあり方と方法、知識の抽出・表現・探索、思考法に関する理論と応用	知識と情報の共有、データベース、情報検索、ディジタルライブラリなどの知識情報技術に関する理論と応用	知識共有に関する社会制度、メディアと図書館の文化、知識情報資源の構築とサービスのマネージメントに関する理論と応用

図2　知識情報・図書館学類の科目一覧*

学群共通科目	体験型システム開発 ビジネスシステムデザイン

☆は必修科目

基礎科目	専門基礎科目
☆第1外国語（英語） ☆総合科目 　（ファーストイヤーセミナー， 　学問への誘い等） ☆情報 　（講義，演習，データサイエンス） ☆体育 　第2外国語	[統計とその応用] ☆統計 　量的調査法 　多変量解析 　機械学習 [専門英語への導入] ☆専門英語 A1, A2 [知識と人間] 　情報探索論 　質的調査法 　ユーザ研究実験法 　情報行動論 　知識発見基礎論 　システム思考

専門基礎科目	
[知識情報学への導入] ☆知識情報概論 ☆アカデミックスキルズ ☆哲学 　知識情報システム概説 　図書館概論 [プログラミング基礎] ☆プログラミング入門 A, B [数学] ☆情報数学 A 　線形代数 A 　微分積分 A [情報科学] 　情報科学概論 　知能と情報科学 　計算と情報科学 　システムと情報科学 [情報メディア創成] 　情報メディア入門 　コンテンツ入門 [知識情報演習] ☆知識情報演習 I, II, III	[知識とシステム] 　知識資源組織化論 　コンピュータシステムとネットワーク 　自然言語解析基礎 　データベース概論 [知識と社会] 　情報社会と法制度 　知的財産概論 　生涯学習と図書館 　公共経済学 　経営・組織論 　メディア社会学 　アーカイブズ基礎 [メディアの理解] 　テクスト解釈 　映像メディア概論 [少人数セミナー] 　知的探求の世界 I, II

専　門　科　目		
知識科学主専攻	[専門情報] 　テクニカルコミュニケーション，サイエンスコミュニケーション [知識共有] 　知識論，知識コミュニケーション，メディア社会文化論 　知識形成論，身体知，Human Information Interaction [知識行動] 　学術メディア論，コミュニティ情報論，ソーシャルメディア分析 　図書館建築論 [知識発見] 　情報評価，生命情報学，データマイニング 　Machine Learning and Information Retrieval	☆主専攻実習
知識情報システム主専攻	[知識情報システムの実際] 　ディジタルライブラリ，ディジタルドキュメント 　情報サービスシステム [知識情報システムの実装] 　マルチメディアシステム，情報検索システム，Web プログラミング [知識情報システムの設計] 　データベース技術，データ表現と処理 　情報デザインとインタフェース，ヒューマンインタフェース 　メディアアート，Human-computer Interaction [知識情報の組織化] 知識資源の分類と索引 [知識情報システムの原理] 　テキスト処理，マークアップ言語，ソフトウェア工学 　データ構造とアルゴリズム	☆卒業研究
情報資源経営主専攻	[知識情報環境の構築] 　図書館論，学術情報基盤論，経営情報システム論 [知識情報サービスの経営] 　情報サービス経営論，パブリックガバナンス [知識情報サービスの構成] 　情報サービス構成論，コレクションとアクセス [知識情報の社会化] 　学校図書館論，メディア教育の実践と評価 [知識情報の規範] 　情報法，知的財産権論 A [メディア文化] 　インターネット動画メディア論 [図書館と書物の文化] 　図書館文化史論，日本図書学，アーカイブズ資源 　アーカイブズ管理，PBL 型図書館サービスプログラム開発	
学類共通	[研究と英語] ☆専門英語 B, C [司書教諭科目] 　学校図書館メディアの構成，学習指導と学校図書館 　読書と豊かな人間性，情報メディアの活用 [インターンシップ] 　インターンシップ，国際インターンシップ	

https://klis.tsukuba.ac.jp/assets/files/klis20.pdf

3 司書講習の案内例

◆ 桃山学院大学司書講習　募集案内

司 書 講 習

メルアド登録	随時	■メールアドレスを登録してください （登録手順は HP をご覧ください）
オンライン授業の 事前動作確認（必須） ＋ 受講申込期間	5月6日（金）～ 6月3日（金）	■期日内に申込書一式を郵送してください。期日を過ぎた場合は受 付できません。 （ただし、部分科目受講についてはご相談ください）
選考結果発表 ならびに 受講料払込期間	6月10日（金）～ 6月17日（金）	■書類選考の結果は郵送します。 ■受講料は郵便局 ATM か窓口で振り込んでください。 ■納入された受講料は返金できません。 ■手続き期間内に振込みの無い場合は、受講許可が無効となります。 ■振込前に受講を辞退される方は必ず連絡ください。
開講式案内 オンライン授業マニュアル	6月22日（水） 送信予定	■受講料の払い込みが確認できた方に開講式の案内と、オンライン 授業マニュアルがメールで届きます。
開講式・ガイダンス 授業開始	7月1日（金） 10：00～（予定） 13：20～（予定）	■開催時間は変更される場合がありますので、案内通知をご参照く ださい。
閉講式・企業説明会等	9月30日（金）	■詳細は講習内でお知らせします。

司書講習募集要項

講習期間	2022 年 7 月 1 日（金）〜 9 月 30 日（金）		
申込期間	2022 年 5 月 6 日（金）〜 6 月 3 日（金）必着		
受講料	全科目受講	121,000 円（税込）	＊教科書代（約 20,000 円）は含まれておりません
	部分科目受講	7,700 円（税込）（講義科目 1 単位当たり） 15,400 円（税込）（演習科目 1 単位当たり）	＊部分受講料の上限は 121,000 円とします
	単位認定	認定料はかかりません	ただし、「図書館実習」の単位認定は 15,400 円必要です。 受講料合計 121,000 円を超える場合は不要です。
募集定員	50 名		
選考方法	作文およびその他の提出書類による書類選考		
受講資格	次のA〜Cのいずれかに該当される方　　＊申込時に受講資格の証明書が必要です（p.9 参照） A：大学、短期大学含、高等専門学校、専修学校専門課程を卒業（修了）した方 　　　　　　　　　　　　　　　　　　　　　　　　　　　　　　　　　※1 B：大学に 2 年以上在学し、62 単位以上の単位を取得している方 C：次の職にあった期間が通算して 2 年以上になる方 　　　　　　　　　　　　　　　　　　　　※2 　①司書補の職 　②司書補に相当する職（国立国会図書館、大学・高等専門学校の附属図書館における） 　③司書補の職と同等以上の職として文部科学大臣が指定する職（官公署、学校、社会教育施設における）　　　　　　　　※3 　④社会教育主事（官公署、学校、社会教育施設における） 　⑤学芸員（官公署、学校、社会教育施設における）		

※1 受講資格となる専修学校専門課程は修業年限 2 年以上、総授業時間数 1,700 時間以上が必要です。

※2 非常勤職員等、フルタイムでない勤務体制の場合には時間換算を行い、1 日 7 時間 45 分の勤務を 2 年間（1 年は 220 日とする）継続した場合と同等の勤務実績（計 3410 時間以上の勤務）が必要です。

※3 「司書補の職と同等以上の職」は省令で下記の通り指定されています。
　図書館法（昭和二十五年法律第百十八号）第五条第一項第三号ハの規定により、司書補の職と同等以上の職を次のとおり指定する。
　一　文部科学省（文化庁及び国立教育政策研究所を含む。）、国立大学法人法（平成十五年法律第百十二号）第二条第三項に規定する大学共同利用機関法人、独立行政法人国立特別支援教育総合研究所、独立行政法人大学入試センター、独立行政法人国立女性教育会館、独立行政法人国立科学博物館、独立行政法人国立美術館、独立行政法人国立文化財機構、独立行政法人科学技術振興機構、独立行政法人宇宙航空研究開発機構、独立行政法人日本スポーツ振興センター、独立行政法人日本芸術文化振興会、独立行政法人大学評価・学位授与機構、独立行政法人国立大学財務・経営センター、独立行政法人メディア教育開発センター及び独立行政法人国立青少年教育振興機構において図書館法（昭和二十五年法律第百十八号）第三条に掲げる事項に相当する事項（以下「図書館奉仕相当事項」という。）に関する専門的職務に従事する職員の職
　二　地方公共団体の教育委員会（事務局及び教育機関を含む。）において図書館奉仕相当事項に関する専門的職務に従事する職員の職
　三　学校教育法（昭和二十二年法律第二十六号）第一条に規定する学校（大学及び高等専門学校を除く。）において図書館奉仕相当事項に関する専門的職務に従事する職員の職
　四　社会教育施設において図書館奉仕相当事項に関する専門的職務に従事する職員の職
　五　社会教育法（昭和二十四年法律第二百七号）第九条の二に定める社会教育主事の職
　六　博物館法（昭和二十六年法律第二百八十五号）第四条第四項に規定する学芸員の職
　七　その他文部科学大臣が前各号に掲げる職と同等以上と認めた職

平成二十年六月十一日文部科学省告示第九十号（抜粋）

https://www.andrew.ac.jp/extension-center/kouza/pdf/shisyo_bosyuuannai_1.pdf

4 | 司書の採用試験実施要綱の一例

◆ 大阪府堺市司書採用試験募集要項

※堺市 SAKAI CITY　**令和３年度堺市職員採用試験受験案内**

高校卒程度（事務、土木〔農学・造園を含む。〕）、機械、電気）、
司書、学芸員〈考古学〉、学芸員〈美術工芸〉、
精神保健福祉士、保健師、障害者を対象とした事務　令和 3 年 6 月　堺市人事委員会

申込受付期間	令和３年８月９日（月・祝）午前９時から８月23日（月）午後５時までの受信分有効 ※原則、インターネット申込みです。
第一次試験日	令和３年９月26日（日）
採用予定日	令和４年４月１日

《令和３年度の主な変更点》
司書の受験年齢の上限を「28歳」から「40歳」に引き上げました。
精神保健福祉士、保健師の受験年齢の上限を「30歳」から「35歳」に引き上げました。

堺市が求める人材像
- ◆ 公務員としての高い志を持ち、市民と思いを共有できる人
- ◆ 幅広い視野と柔軟な思考力があり、やり抜くことができる人
- ◆ 堺への熱い思いを持っている人

1 募集内容

試験区分		採用予定人数	受験資格
高校卒程度	事務	12名程度	平成12年４月２日から平成16年４月１日までに生まれた人 ただし、次の人は受験することができません。 ①学校教育法に基づく大学（短期大学を除く。）を卒業した人又は令和４年３月31日までに卒業見込みの人 ②専門学校（学校教育法に基づく修業学校専門課程）で高度専門士の称号を取得した人又は令和４年３月31日までに取得見込みの人 ③上記①、②と同等の資格があると人事委員会が認める人
	土木〔農学・造園を含む。以下、「土木」という。〕	若干名	
	機械	若干名	
	電気	若干名	
司書		4名程度	昭和56年４月２日以降に生まれた人で、図書館法第５条に規定する司書資格を有する人又は令和４年３月31日までに司書資格を取得見込みの人。 ただし、司書補は受験資格に該当しません。
学芸員〈考古学〉		若干名	昭和61年４月２日以降に生まれた人で、博物館法第５条に規定する学芸員資格を有する人又は令和４年３月31日までに学芸員資格を取得見込みの人
学芸員〈美術工芸〉		若干名	
精神保健福祉士		若干名	昭和61年４月２日以降に生まれた人で、各試験区分の資格若しくは免許を有する人又は令和４年３月31日までに実施の国家試験により各試験区分の資格若しくは免許を取得見込みの人
保健師		5名程度	
障害者を対象とした事務		4名程度	昭和37年４月２日から平成16年４月１日までに生まれた人で、次のいずれかの手帳等（受験申込及び受験当日において有効であることが必要）の交付を受けている人 ①身体障害者手帳又は都道府県知事の定める医師（以下「指定医」という。）若しくは産業医による障害者の雇用の促進等に関する法律別表に掲げる身体障害を有する旨の診断書・意見書（心臓、じん臓、呼吸器、ぼうこう若しくは直腸、小腸、ヒト免疫不全ウイルスによる免疫又は肝臓の機能の障害については、指定医によるものに限る。） ②都道府県知事若しくは政令指定都市長が交付する療育手帳又は児童相談所、知的障害者更生相談所、精神保健福祉センター、精神保健指定医若しくは障害者職業センターによる知的障害者であることの判定書 ③精神障害者保健福祉手帳

※9月実施の堺市職員採用試験と重複申し込みはできません。また、6月実施の堺市職員採用試験（保健師）に申し込まれた方は、保健師の試験区分に申し込みはできません。

◆地方公務員法第16条の欠格条項に該当する人（民法の一部を改正する法律（平成11年法律第149号）附則第3条第3項の規定により、従前の例によることとされる人を含む。）は、受験できません。
◆前頁及び上記の受験資格を満たし、**変則勤務が可能な人**が受験できます。
◆国籍は問いません。ただし、日本国籍を有しない人で、採用日において、就労等が制限されている在留資格の人は採用されません。
◆採用予定人数は、退職者の状況等により変動する場合があります。また、試験の成績によっては合格者数が採用予定人数を下回る場合があります。

2 申込方法

＜留意事項＞
・インターネットで申し込んでください。
・申込手続きに際して、堺市電子申請システムから届く電子メールは、削除せずに保存してください。
・申込後に電子メールアドレスを変更する場合は、必ず堺市人事委員会事務局任用係へ連絡してください。
・申込後に氏名、住所、電話番号（連絡先）等に変更があった場合は、必ず堺市人事委員会事務局任用係へ変更内容（新・旧）を書面で連絡してください。

申込方法	申込みには、次の4点全てが必要になります。 ①インターネットに接続されたパソコン、スマートフォン、タブレット端末のいずれか ②A4サイズの用紙に印刷できるプリンター （お持ちでない場合は、コンビニエンスストア等のプリントサービス等をご利用ください。） ③受信可能な電子メールアドレス ④Adobe Reader（無料） 堺市職員採用ホームページ（アドレスは、後掲「8 問合せ先」参照）にアクセスし、詳しい申込手続き等を確認のうえ、堺市電子申請システムから申し込んでください。 ※詳細は、堺市電子申請システム「ヘルプ」の「動作環境」、「よくあるご質問」を確認してください。 ※学校等の共有パソコン等で申し込まれる場合は、ブラウザやハードディスクに履歴を残さない等、個人情報の取扱いには注意してください。
申込受付 期　間	**8月9日（月・祝）午前9時から8月23日（月）午後5時までの受信分有効** システム管理等のため、一時的に利用できない場合があります。 締切間際は混雑が予想されます。時間に余裕を持って申し込んでください。
受験票等 の入手	堺市電子申請システム上にて、9月17日（金）以降（予定）に「受験票」及び「注意事項」をPDFファイル形式で発行しますので、必ず印刷のうえ入手してください。（詳細は、堺市ホームページにおいてお知らせします。）※電子メールでの送信は行いません。 第一次試験日当日に、受験票を提出する必要があります（※詳細は「3 持参書類」参照）。9月21日（火）までに受験票等を入手できない場合は、至急、堺市人事委員会事務局任用係まで連絡してください。

≪注意事項≫
※パソコン等の機種や環境等により利用できない場合があります。
※いずれの方法でもインターネットによる申込みができない場合は、令和3年8月9日（月・祝）午前9時から8月16日（月）午後5時30分までに堺市人事委員会事務局任用係まで連絡してください。なお、それ以降の対応はできませんのでご了承ください。
※身体に障害がある人等で、受験にあたって配慮を希望する場合は、申込時に配慮希望欄の「希望する」を選択し、必要事項を入力して申し込んでください。また、別途必ず受験上の配慮を希望することを堺市人事委員会事務局任用係まで連絡してください。なお、申込受付期間終了後に、受験上の配慮を希望されても対応できない場合があります。

※使用するパソコン・プリンターの故障や通信回線上の障害、推奨する環境によらない状況で発生したトラブル等については、一切責任を負いませんのでご了承ください。

※申込内容に不備がある場合には連絡します。連絡がつかない場合や修正が必要な場合は、申込を返却することがあります。このために生じた受験申込みの遅延については、一切責任を負いませんのでご了承ください。

3　持参書類

(1) 第一次試験日の持参書類

・受験票（要写真貼付）・・・試験当日に提出されない場合は、受験できません。

※堺市電子申請システム上で 9 月 17 日（金）以降（予定）に発行しますので、A4 サイズのコピー用紙（白色普通紙）に片面印刷（印刷方向は縦）してください。なお、感熱紙、光沢のある特殊紙、使用済み用紙の裏面等は使用しないでください。

※入手した受験票には、半年以内に撮影した鮮明な写真 1 枚（タテ 4cm×ヨコ 3cm、上半身、正面向き、脱帽、裏面に受験番号と氏名を記入）を貼って、必ず持参してください。

(2) 第二次試験筆記試験日の持参書類（第一次試験合格者のみ）

・面接カード（全試験区分）
・受験資格取得（見込み）確認書（高校卒程度、障害者を対象とした事務 以外）

※いずれも、第一次試験の合格発表後、対象者に交付します。試験当日に提出されない場合は、受験できません。

・以下の試験区分は、試験当日に次の証明書類が必要です。あらかじめご準備ください。

試験区分	持参書類
司　　　　書 学芸員〈考古学〉 学芸員〈美術工芸〉	卒業（見込）証明書及び 資格の取得に必要な単位修得（見込）証明書、資格取得証明書、成績証明書等
精 神 保 健 福 祉 士 保　健　　師	○資格若しくは免許を取得している人…登録証又は免許証の原本及びコピー ○資格若しくは免許を取得見込みの人…卒業（見込）証明書
障　害　者　を 対象とした事務	受験資格に該当する手帳等の原本

※指定する期限までに証明書類が準備できない場合は、堺市人事委員会事務局任用係まで連絡してください。
※免許証等の原本以外の提出書類は、一切お返ししません。
※受験に際して取得した個人情報は、堺市個人情報保護条例に基づき適正に管理し、採用試験及び採用に関する事務以外の目的への利用は行いません。ただし、採用者の個人情報は、人事情報として使用します。

4　試験内容

(1) 試験日程等

第一次試験の詳細は、受験票発行時にお知らせします。第二次試験の詳細については、対象者に通知します。

	試験日時等		
	第一次試験	第二次試験	
	筆記試験	筆記試験	面接試験
試験日時	9 月 26 日（日）（予定） 午前 9 時 00 分集合 （時間厳守）	10 月 16 日（土）（予定）	10 月 30 日（土）又は 10 月 31 日（日）のいずれかで 堺市人事委員会が指定する日（予定）
試験会場	堺市内（予定）		

※試験日時を変更する場合があります。その際は別途、お知らせします。

(2) 試験方法

試験区分		第一次試験	第二次試験
高校卒程度	事務	○一般教養試験 （択一式・40問・100分）	○論文試験(*1)（60分）（800字程度） ○面接試験（個別面接）
	土木		○専門試験(*2)（60分）（800字程度） ○面接試験（個別面接）
	機械		
	電気		
司　　　　　書 学芸員〈考古学〉 学芸員〈美術工芸〉 精神保健福祉士 保　健　　　師		○基礎能力試験 （択一式・30問・90分）	○専門試験(*2) （記述式・3問解答（3問中2問選択解答（各400字 程度）・1問必須解答（800字程度））・120分） ○面接試験（個別面接）
障 害 者 を 対象とした事務		○一般教養試験 （択一式・30問・90分）	○論文試験(*1)（60分）（800字程度） ○面接試験（個別面接）

(*1) 論文試験：出題された課題について記述するもの
(*2) 専門試験：各試験区分の専門分野に関して出題された課題について記述するもの
※面接試験の参考とするため、性格検査を実施します（配点なし）。

(3) 出題分野

	試験区分	出題分野
第一次試験	高 校 卒 程 度 （事務、土木、 機械、電気）	文章理解・判断推理・数的推理・資料解釈に関する一般知能、社会科学・人文科学・ 自然科学に関する一般知識等＜高校卒業程度の試験＞
	障 害 者 を 対象とした事務	
	上 記 以 外	文章理解・判断推理・数的推理・資料解釈に関する一般知能、時事問題等 ＜短大卒業程度の試験＞
第二次試験	司　　　　　書	生涯学習概論、図書館概論、図書館情報技術論、図書館制度・経営論、図書館サー ビス概論、情報サービス論、児童サービス論、図書館情報資源概論、情報資源組織 論等
	学　芸　員 〈考　古　学〉	考古学・埋蔵文化財・世界文化遺産に関する専門知識等
	学　芸　員 〈美 術 工 芸〉	美術工芸（日本美術史）に関する専門知識等

	試験内容	出題分野
第二次試験	精神保健福祉士	人体の構造と機能及び疾病、心理学理論と心理的支援、社会理論と社会システム、現代社会と福祉、地域福祉の理論と方法、福祉行財政と福祉計画、社会保障、障害者に対する支援と障害者自立支援制度、低所得者に対する支援と生活保護制度、保健医療サービス、権利擁護と成年後見制度、精神疾患とその治療、精神保健の課題と支援、精神保健福祉相談援助の基盤、精神保健福祉相談援助の展開、精神保健福祉に関する制度とサービス、精神障害者の生活支援システム等
	保　健　師	公衆衛生看護学、疫学、保健統計学、保健医療福祉行政論等

※試験問題の例題等は、堺市ホームページに掲載しているほか、堺市市政情報センター及び堺市各区役所市政情報コーナーで閲覧、コピー（有料）ができます。

(4) 合格者の決定方法及び配点

試験の合格者は、下表に示した各試験の総合得点順に決定します。

試験区分		第一次試験 一般教養試験 基礎能力試験	第二次試験 論文試験 専門試験	第二次試験 面接試験	総合得点
高校卒程度 （事務、土木、機械、電気）	第一次試験	80	−	−	80
	第二次試験	−	100	300	400
司　書 学芸員〈考古学〉 学芸員〈美術工芸〉 精神保健福祉士 保　健　師 障害者を対象とした事務	第一次試験	60	−	−	60
	第二次試験	−	100	300	400

(5) 点字による受験（高校卒程度（事務）、障害者を対象とした事務のみ）

点字（視覚障害者のための、突起した点の組合せによる文字）による受験ができます。なお、点字受験の際、試験問題の読み上げと解答の作成に音声パソコンを併用することができます。点字による受験を希望する場合は、点字受験希望欄の「希望する」を選択して申し込むとともに、申込時に必ず点字受験希望であることを堺市人事委員会事務局任用係まで連絡してください。

なお、申込受付期間終了後に、点字による受験を希望されても対応できませんので、ご了承ください。

5　合格発表・採用

(1) 合格の発表方法・時期

合格者の受験番号を堺市ホームページに掲載するとともに、堺市役所本館東玄関横の掲示板にも掲示します。また、結果通知書を合格者のみに郵送します。なお、採用待機者となった人には、結果通知書を郵送する際に、採用待機者である旨と待機順をお知らせします。

第一次試験合格発表	令和3年10月上旬（予定）
最終合格発表	令和3年11月中旬（予定）

※電話等による合否の問合せにはお答えできません。

(2) 受験結果の提供

採用試験不合格者（途中棄権者を除く。）のうち、希望者には採用試験の受験結果（総合順位・総合得点）の提供を行います。詳しい手続き等については、第一次試験当日にお知らせします。

(3) 合格から採用まで

・最終合格者は、試験区分ごとに作成される採用候補者名簿（試験区分が高校卒程度（事務、土木、機械、電気）以外の場合は選考合格者名簿）に記載し、堺市の任命権者に成績順に提示します。

・最終合格者は、**令和 4 年 4 月 1 日の採用予定**です。ただし、**既卒者・有資格者等の場合は、採用予定日までに採用される場合があります。**

・最終合格者は、採用待機者を加えて決定する場合があります。

・**採用待機者**については、採用辞退や今後の欠員状況等に応じて採用をするため、令和 4 年 4 月 1 日に採用されない場合があります。なお、**令和 4 年 4 月 1 日に採用とならなかった場合は、令和 5 年 4 月 1 日までに採用されます。**

・採用は条件付で、原則として採用から 6 か月間を良好な成績で勤務したときに正式採用となります。

・採用後、堺市と関連のある公益的法人等に派遣される場合があります。

・司書、学芸員（考古学）、学芸員（美術工芸）、精神保健福祉士、保健師の最終合格者で、資格若しくは免許を取得又は更新見込みの人について、採用予定日の前日までに受験資格を満たすことができない場合は、合格を取り消します。

・受験資格がないことが判明した場合は、合格（採用）を取り消します。また、申込内容や提出書類の記載事項が正しくないことが判明した場合は、合格（採用）を取り消すことがあります。

6　給与・勤務条件 (人事給与制度等の改正により変わる場合があります。)

◆初 任 給：地域手当を含む初任給月額は、次のとおりです。（参考）

高 校 卒 程 度 （事務、土木、機械、電気）	司　　書	学芸員〈考古学〉 学芸員〈美術工芸〉	精神保健福祉士 保 健 師	障 害 者 を 対象とした事務
169,000 円程度	C 201,000 円程度	C 201,000 円程度	B 194,000 円程度 C 201,000 円程度	A 169,000 円程度 C 201,000 円程度

※Aは高校卒、Bは短大 3 卒、Cは大学卒の場合
※初任給は、採用前の経歴等により加算される場合があります。

◆諸 手 当：期末・勤勉手当、扶養手当、住居手当、通勤手当等がそれぞれの条件に応じて支給されます。

◆勤務時間：原則、午前 9 時 00 分～午後 5 時 30 分〔休憩 45 分〕（配属先により異なります。）

　　　　　　※必要に応じて時間外勤務が発生する場合があります。

◆休 日 等：土曜日、日曜日、祝日、年末年始（配属先により異なります。）

◆休　　暇：年次有給休暇（1 年度につき 20 日）、特別休暇（夏季、結婚、出産等）等があります。

◆福利厚生：厚生年金・健康保険（共済組合）、職員厚生会、公務災害補償制度等

7　職務内容

それぞれの試験区分での最終合格者は、採用後、概ね以下の職務に従事します。

試験区分		職務内容
高校卒程度	事　務	市全般に係る施策の企画・調整から、税、保険、年金、保健衛生、地域福祉など市民に身近な職務や、環境、文化、観光、産業振興、社会基盤の整備、教育など行政事務全般
	土　木	道路・公園等の公共施設の整備・維持管理や上下水道施設の整備・維持管理のほか、まちづくりに係る企画・調整や市街地の整備、農業政策に係る企画・調整等

http://www.city.sakai.lg.jp/shisei/jinji/shokuinsaiyo/saiyoannai/kakonoshikenjoho/
saiyoshikennjissijokyo_R3.files/R3_9_kousotsu.pdf

あとがき

　私は現在、大学で司書課程教員をしていますが、大学卒業後は図書館とはまったく関係のない仕事をしていました。司書という職業に興味をもったのは、まずは私自身、図書館が大好きだったことです。具体的な体験としては、20代後半、自分の生き方や仕事に自信がもてずこれから何をすればいいのか悶々としていた時期に、図書館で出会ったたくさんの本が私の心の扉を開いてくれたのです。「大好きな図書館のことをもっとよく知るためには、そうだ、司書の勉強をしよう」という何とも牧歌的な動機で、仕事をしながら資格を取る勉強を始めた時のことを今でもはっきりと覚えています。

　さまざまな仕事を経た後、大学図書館員になりました。その後、男女共同参画センター内にある女性情報専門図書館の立ち上げを含めて約25年間、ジェンダー関連分野で仕事をしました。ここではさまざまな困難や課題を抱える方々を、資料や情報によってバックアップするという使命を担いました。本だけではなく、「1枚のチラシがその人の人生を変える」ということをレファレンスサービスで体験した私は、図書館という公共施設の役割が無限大であることを確信しました。

　そして今、司書という仕事に夢を抱いている学生たちとともに図書館について話し考える至福の時間をいただいています。教員になってからはそれまで以上に、館種を問わずいろいろな図書館員の実践を知ることができる場に足を運ぶように心がけています。司書の仕事に関心をもっている学生たちに、リアルな図書館員の仕事を伝えたいからです。

　今ふり返りますと、図書館の仕事に出会い、自己研鑽として求めた学びの場でそれぞれに魅力的かつ実力のある図書館員の方々とご一緒することによって刺激をいただき、それを自分の仕事に反映し、無我夢中で走り続けてきた感があります。社会人の学びなおしの場として選んだ大学院では、このたび共編の

機会をくださった塩見先生のご指導を受けることができました。また、この大学院の場では、学校現場などで長年のキャリアを積み上げてこられた人生の先輩や、他館種で活躍されている図書館員との出会いもありました。職場の上司や同僚に恵まれ、転職などいろんなチャレンジを応援し、かつ、固定的な性別役割分業を私に一切求めなかったパートナーの存在もあって、長く図書館現場での仕事に携わることができました。

　授業で学生に紹介する絵本に『わたしのとくべつな場所』（文：パトリシア・C・マキサック、絵：ジェリー・ピンクニー）があります。物語の終盤、主人公の女の子が図書館に入る時の誇らしい表情、これは現在の公共図書館を利用するすべての人の気持ちと共通するものであってほしいです。

　図書館に求められる役割は、知る自由を保障する最後の砦としての役割を固持したうえで、社会の変化に応じて変わる部分もあるでしょう。まさに、ランガナタンの「図書館は成長する有機体である」の通りです。これからの図書館の担い手になる方々が、常に自己研鑽を続け、やりがいのある仕事として従事されることを心から願っています。

　最後になりましたが、本書の刊行にあたり、ご多用のなか、寄稿をお引き受けくださったみなさまに心からお礼申し上げます。

　　　2019 年 12 月

　　　　　　　　　　　　　　　　　　　　　　　木下　みゆき

●執筆者一覧●

編著者

塩見　昇　　（しおみ　のぼる）　　　大阪教育大学名誉教授
木下みゆき（きのした　みゆき）　　　大阪大谷大学

執筆者

武久　顕也（たけひさ　あきなり）　　岡山県瀬戸内市　市長
小林　隆志（こばやし　たかし）　　　鳥取県立図書館
永利　和則（ながとし　かずのり）　　福岡女子短期大学
佐藤　英子（さとう　えいこ）　　　　学校図書館を考える会・静岡
鈴木　崇文（すずき　たかふみ）　　　名古屋市中川図書館
島津　芳枝（しまづ　よしえ）　　　　大分県宇佐市民図書館
赤澤　久弥（あかざわ　ひさや）　　　京都大学附属図書館
松田ユリ子（まつだ　ゆりこ）　　　　神奈川県立田奈高等学校図書館
高木　享子（たかぎ　きょうこ）　　　元箕面市立西南小学校図書館
山本明日香（やまもと　あすか）　　　横浜市磯子図書館
佐藤　悠　　（さとう　ゆう）　　　　大阪市立中央図書館
板橋　愛　　（いたばし　あい）　　　神戸大学附属図書館
塚本麻衣子（つかもと　まいこ）　　　東京大学柏図書館
中野　摩耶（なかの　まや）　　　　　箕面市立萱野小学校図書館

＊執筆順　所属・役職は 2019 年 10 月現在のもの

塩見　昇（しおみ　のぼる）

1937 年　京都市生まれ

1960 年　京都大学教育学部卒業、大阪市立図書館勤務（司書）

1971 年　大阪教育大学講師

1980 年　大阪教育大学教授

2002 年　大阪教育大学　退職、名誉教授

2005 〜 13 年　日本図書館協会理事長

著　書●『図書館の発展を求めて』日本図書館研究会　2007 年

『図書館の自由委員会の成立と「図書館の自由に関する宣言」改訂』
　日本図書館協会　2017 年

『日本学校図書館史』全国学校図書館協議会　1986 年

『新図書館法と現代の図書館』（共編著）日本図書館協会　2009 年
その他

木下　みゆき（きのした　みゆき）

1959 年　大阪市生まれ

京都外国語大学外国語学部卒業、大阪教育大学大学院教育学研究科
修士課程修了

1994 年 9 月〜 2016 年 3 月　財団法人大阪府男女協働社会づくり財
団（現一般財団法人大阪府男女共同参画推進財団）職員

2016 年　大阪大谷大学文学部日本語日本文学科　教授（司書課程）

論　文●「災害時における男女共同参画センターの情報機能の役割
に関する一考察：阪神・淡路大震災から熊本地震までの連携・協力
を中心に」『大阪大谷大学紀要』第 53 号 , 2019.2, p.109-125.

「これからの専門図書館員に求められるもの：専門図書館員の役割
に関する考察」『図書館界』Vol.53, No.3, 2001.9,　p.242-252.　その他

新編　図書館員への招待〈補訂版〉

2020 年 3 月 10 日　第 1 刷発行ⓒ
2022 年 7 月 30 日　補訂版第 1 刷発行
2023 年 3 月 30 日　補訂版第 2 刷発行

編著者　塩見　昇
　　　　木下みゆき

発行者　駒木明仁

発　行　株式会社 教育史料出版会
　　　　〒101-0065　千代田区西神田 2-4-6
　　　　☎ 03-5211-7175　FAX 03-5211-0099
　　　　郵便振替　00120-2-79022
　　　　http://www.kyouikushiryo.com

デザイン　中野多恵子
印　　刷　平河工業社
製　　本　国宝社

定価はカバーに表示してあります。
落丁本・乱丁本はお取り替えいたします。
ISBN978-4-87652-551-5　C0037

教育史料出版会（税別）